LES MAÎTRES
DU PENTACLE

MARIO FECTEAU

LES MAÎTRES DU PENTACLE

NORD

ÉDITIONS
MICHEL
QUINTIN

Catalogage avant publication de Bibliothèque et Archives nationales du Québec et Bibliothèque et Archives Canada

Fecteau, Mario

  Les maîtres du Pentacle

  Sommaire: t. 1. Nord -- t. 2. Ouest.

  ISBN 978-2-89435-420-9 (v. 1)
  ISBN 978-2-89435-439-1 (v. 2)

  I. Titre.

PS8611.E395M34 2009   C843'.6   C2009-941492-9
PS9611.E395M34 2009

Infographie : Marie-Ève Boisvert, Éd. Michel Quintin
Illustration de la couverture : Boris Stoilov
Illustration de la carte : Mathieu Girard

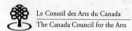

Le Conseil des Arts du Canada
The Canada Council for the Arts

SODEC
Québec::

Patrimoine canadien
Canadian Heritage

La publication de cet ouvrage a été réalisée grâce au soutien financier du Conseil des Arts du Canada et de la SODEC.

De plus, les Éditions Michel Quintin bénéficient de l'aide financière du gouvernement du Canada par l'entremise du Programme d'aide au développement de l'industrie de l'édition (PADIÉ) pour leurs activités d'édition.

Gouvernement du Québec – Programme de crédit d'impôt pour l'édition de livres – Gestion SODEC

ISBN 978-2-89435-420-9

Dépôt légal - Bibliothèque et Archives nationales du Québec, 2009
Dépôt légal - Bibliothèque et Archives Canada, 2009

Éditions Michel Quintin
C.P. 340, Waterloo (Québec)
Canada J0E 2N0
Tél. : 450 539-3774
Téléc. : 450 539-4905
www.editionsmichelquintin.ca

09 - G A - 1

Imprimé au Canada

L'auteur remercie le Conseil des Arts du Canada pour l'aide accordée à l'écriture de ce roman.

Cinq régions, cinq morceaux, cinq compagnons
Un pentacle, une force, une mission

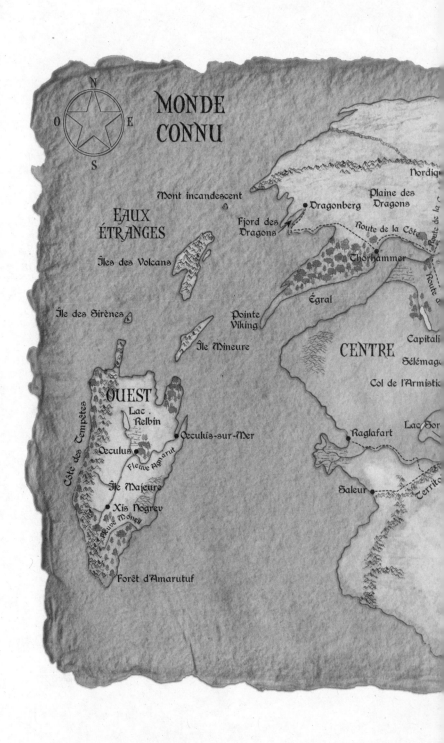

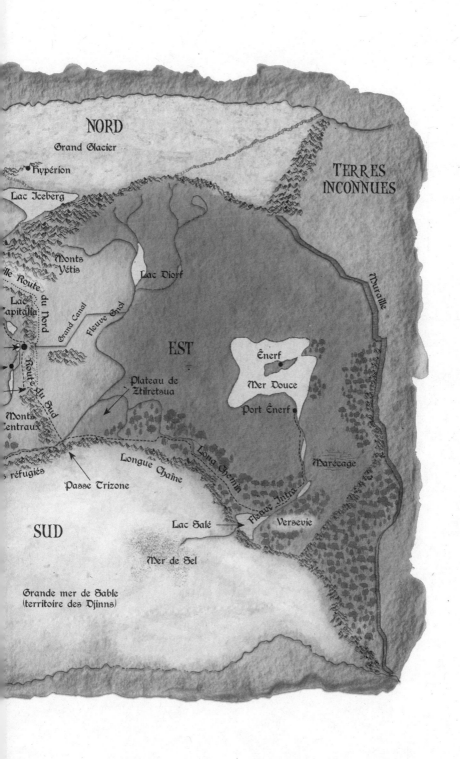

PROLOGUE

Voilà bien longtemps de cela, le Monde connu était divisé entre de nombreux peuples. Des espèces majeures parcouraient les terres, entre les glaces du Nord et les sables du Sud, les plaines de l'Est et les mers de l'Ouest. Ainsi, on y voyait les centaures, vivant dans les savanes du Sud, les cyclopes, insulaires des îles de l'océan occidental, les djinns, mystérieux magiciens du désert, les géants, qui arpentaient les plaines entre le fleuve Gnol et les monts Centraux, les humains, fiers Vikings du Nord, et les versevs, végétaux bipèdes vivant à l'Est, tout près des terres inconnues.

Ces peuples ne vivaient pas toujours en paix, loin de là…

Il y eut de nombreux différends, au cours des siècles, des conflits pour des territoires et des ressources, des guerres d'expansion et de croyances. Des cyclopes moururent de faim lorsqu'ils ne purent acquérir de vivres sur le continent, des versevs périrent dans des incendies qu'avaient allumés les géants. Les humains perdirent des terres au sud du fleuve Égral et furent assiégés jusque dans leur capitale, la fabuleuse cité d'Hypérion, centre de savoir et de culture.

Ce fut cette guerre entre géants et humains qui décida les peuples à tenter un nouveau rapprochement. Chaque espèce envoya une délégation dans un petit village, situé sur la pente ouest des monts Centraux, qui n'avait comme particularité que de se trouver au centre géographique du Monde connu. Des réunions furent planifiées et les discussions commencèrent.

Quatre mois plus tard, c'était l'impasse. Tous disaient vouloir la paix, tous promettaient de faire des concessions, mais aucun consensus ne se dégageait. La situation devint vite tendue entre les délégations et une nouvelle guerre éclata, la pire de toutes. Elle dura dix ans et frappa cinq des espèces, les djinns refusant comme toujours de rompre leur neutralité. Des alliances se formèrent et se défirent, des alliés devinrent ennemis, puis de nouveau alliés. Lors de la dernière bataille, les versevs perdirent presque toutes leurs terres aux mains des géants. Les survivants signèrent un traité de reddition et les combats cessèrent.

La paix qui fut signée ce jour-là allait s'avérer historique.

Pendant les conflits, six magiciens, un de chaque peuple, s'étaient souvent réunis, cherchant un moyen d'instaurer une paix durable. Ils avaient vite conclu qu'aucune espèce n'accepterait un membre d'une autre comme chef suprême. Ils imaginèrent un conseil formé de sages représentant les six espèces pour arbitrer les différends. La Guilde des magiciens refusa de soumettre la proposition, affirmant que les peuples devaient assumer eux-mêmes leur destin. Mais les six magiciens outrepassèrent l'autorité de la Guilde et soumirent néanmoins la proposition. Vainqueurs et vaincus, épuisés, acceptèrent et firent des magiciens les premiers représentants de ce conseil.

Furieux, les chefs de la Guilde des magiciens sommèrent les dissidents de refuser la nomination ou de quitter les rangs de leur mouvement. Le magicien djinn refusa de rompre la neutralité des siens, mais les autres, persuadés de la noblesse de leur mission, démissionnèrent de la Guilde. Le Conseil des sages vit le jour, formé des cinq autres magiciens.

Ils choisirent le petit village des monts Centraux pour en faire la capitale du Monde connu. Le hameau se transforma peu à peu en une ville, Capitalia, destinée à devenir un centre de commerce, de culture et de diplomatie. De nouvelles routes furent aménagées pour desservir la cité. Chaque peuple y établit une ambassade et érigea des monuments reflétant son identité culturelle. Une décennie de travaux fit de Capitalia une merveille d'architecture.

Les vingt premières années du Conseil passèrent sans que le moindre conflit soit déclenché. Les magiciens arbitrèrent les multiples différends et, bien vite, les gouvernements transformèrent les solutions proposées en lois. La paix régnait donc enfin, et tous les peuples acceptèrent de laisser leur destinée entre les mains des magiciens, lesquels étaient devenus malgré eux les sages dont ils avaient proposé la nomination. Mais cela ne pourrait pas durer : un jour, ils mourraient et des querelles réapparaîtraient lorsque viendrait le temps de choisir des successeurs.

Ève Iveneg, la magicienne humaine, soumit une solution. Il s'agissait pour les sages d'utiliser leur pouvoir pour devenir immortels, ce qui leur permettrait de rester en place de façon permanente pour guider les peuples du Monde connu. L'idée ne plut pas à tous, certains s'inquiétant du risque pour eux de se croire tout-puissants. L'humaine balaya l'objection en rappelant qu'ils étaient cinq et qu'ils pouvaient se discipliner mutuellement. Que l'un d'eux devienne imbu de lui-même et les autres sauraient le contrer.

Ils se lancèrent donc dans cet incroyable projet.

Les magiciens parcoururent le Monde connu en quête de toutes les formes de magies, y compris celles proscrites par la Guilde. Ils découvrirent que l'immortalité était impossible, mais qu'il y avait moyen d'empêcher leur corps de vieillir. Ainsi, ils garderaient toujours le même âge physique et les mêmes capacités intellectuelles. Il leur fallait pour cela insérer cette magie dans un objet. Puisqu'ils étaient cinq, un pentacle parut le réceptacle idéal pour contenir ce pouvoir.

Il fallut un an pour créer l'objet. Le choix des matériaux était primordial, car la moindre erreur risquait de provoquer une issue fatale. La rédaction des formules revêtait aussi une importance essentielle. Cette tâche fut dévolue à Iveneg, qui eut fort à faire pour éviter qu'une formulation imprécise ne libère des forces maléfiques à travers le Monde connu. Finalement, le grand jour arriva et les magiciens se préparèrent. Ils se retirèrent à l'écart de tout être vivant et psalmodièrent les formules pendant trois jours, sans dormir ni manger.

Et ils réussirent l'impossible.

Les magiciens revinrent annoncer la nouvelle aux ambassadeurs des six espèces. Ils leur montrèrent le Pentacle, qui parut banal aux diplomates : une étoile grise à cinq pointes enchâssée dans un cerceau, le tout tenant au creux de deux mains placées en coupe. L'objet devait cependant servir de symbole de ralliement pour tous les habitants du Monde connu.

Mais il fut également une source de réactions négatives. Les djinns, notamment, le jugèrent maléfique. Ils décidèrent de se retirer complètement des affaires du Monde connu et s'en allèrent dans les déserts du Sud. Nul ne les revit par la suite. La Guilde des magiciens tenta de faire arrêter les cinq sages, mais les gouvernements réagirent à cette menace de conflit en combattant la Guilde. Aidés par le Conseil, ils pourchassèrent et arrêtèrent jusqu'au dernier de leurs sympathisants.

Les cinq membres du Conseil devinrent les seuls magiciens autorisés.

Deux siècles passèrent. Les gouvernements des cinq peuples changèrent, des rois moururent et des princes succédèrent à leur père. Les magiciens, eux, gardaient la même apparence, ce qui les rendait plus mystérieux encore auprès des mortels. Ils furent bientôt adorés en tant que divinités. Le centaure redouta que l'un d'eux ne soit gagné par la folie des grandeurs. Ses craintes se concrétisèrent quand Iveneg se rebaptisa Lama, terme de la langue ancienne signifiant *déesse*. Les autres magiciens décidèrent de la suspendre provisoirement du Conseil.

Mais Lama avait planifié depuis le début son accession à la divinité. Comme elle avait écrit les formules d'envoûtement du Pentacle, elle connaissait ses capacités mieux que ses collègues. Elle attendit son heure, laquelle vint lorsqu'une délégation de versevs réclama un arbitrage de la part des sages. Les magiciens décidèrent de se rendre en Versevie afin d'étudier la cause. Ils laissèrent Lama au palais du Pentacle, leur demeure à Capitalia, et se mirent en route.

Lama ne perdit pas de temps : elle se munit d'un marteau et se rendit dans la salle du Conseil. Elle prit l'écrin accroché au mur dans lequel reposait le Pentacle et le posa à même le sol. Un coup puissant brisa l'objet magique. Les pointes glissèrent hors du cerceau et s'éparpillèrent sur le sol. En apparence, rien de spécial ne s'était produit. Lama savait pourtant ce qui allait suivre. Elle se précipita au sommet de la plus haute tour du palais et regarda ses collègues magiciens marcher vers les portes de la ville.

Elle ne voulait rien rater du spectacle.

Les quatre magiciens franchirent le portail sans soupçonner quoi que ce soit… et se sentirent bien vite au plus mal. C'était ce que Lama avait calculé. En créant le Pentacle, elle avait prévu qu'il les empêcherait de vieillir, peu importe où ils voyageraient. En le brisant, ses effets se limiteraient désormais aux murs de la ville.

Le magicien géant mourut le premier, regagnant en quelques secondes les années enfermées dans le Pentacle. Le versev et le cyclope subirent le même sort. Lama savait que Yenop, le magicien centaure, résisterait un peu plus longtemps, car il était encore jeune au moment de la création du Pentacle. Lui aussi cependant vieillissait à une vitesse accélérée. Quelques secondes encore et elle serait maître du Monde connu.

Elle n'avait toutefois pas prévu ce qui se produisit alors. Les versevs qui accompagnaient ses collègues magiciens se précipitèrent vers le quadrupède agonisant et s'empressèrent de le ramener dans la ville. Lama ragea, impuissante. Elle supplia les forces occultes de faire mourir rapidement le centaure, elle maudit les versevs et jura une haine éternelle à leur espèce entière, mais ils passèrent les portes de Capitalia avant qu'il ne soit trop tard. Un ultime obstacle se dressait encore entre le pouvoir absolu et elle. Un obstacle contre lequel elle ne pouvait rien, désormais.

Lama le savait, le bris du Pentacle avait bouleversé les forces qu'ils y avaient confinées. Certaines avaient disparu, d'autres étaient restées intactes, d'autres encore s'étaient combinées pour donner un effet nouveau. Dorénavant, les sévices physiques imposés à l'un se répercuteraient sur l'autre. Elle ne pouvait donc pas simplement faire expulser Yenop hors de la ville pour qu'il meure de vieillesse. Pas avant de reconstituer le Pentacle.

Yenop réussit à contrer en partie les projets de son ancienne alliée. Il profita de ce que Lama étudiait un des morceaux pour faire récupérer les quatre autres pointes qu'il confia à autant de serviteurs fidèles. Il leur demanda de les disperser dans le Monde connu. Ainsi, il condamnait sa collègue traîtresse à vivre recluse à l'intérieur des limites de Capitalia. Puisqu'elle ne pouvait lui infliger de sévices sans en ressentir les effets, elle ne pourrait le torturer pour l'amener à révéler ce qu'il avait fait des morceaux.

Furieuse, elle le fit enfermer, mais le libéra quelques années plus tard, après avoir réalisé qu'elle pouvait se gausser de ses handicaps. Yenop avait repris une grande partie des années enfermées dans le Pentacle ; il n'était plus qu'un vieillard affaibli qui peinait à marcher, affecté de tremblements tels qu'ils l'empêcheraient de faire les gestes nécessaires aux incantations les plus complexes.

La magicienne se proclama souveraine éternelle du Monde connu et prit le nom de Lama-Thiva, la déesse-reine. Elle mata une à une les rébellions des peuples qui refusèrent cette hégémonie, en formant une armée du Pentacle et du peuple des géants, dont elle s'assura la fidélité en prodiguant aux deux groupes une foule de privilèges. Siècle après siècle, toute velléité de soulèvement fut sévèrement réprimée. La paix régnait, maintenue par la force, la peur et la répression…

Pour Lama, cela ne suffisait pas. Elle finit par conclure que l'existence de différentes espèces ne permettrait jamais à une paix véritable de perdurer. Il fallait un monde peuplé d'êtres identiques, ayant la même forme de pensée, pour éviter les conflits. Même la séparation en deux sexes devait disparaître. Forte de cette conviction, la magicienne concentra ses efforts à créer cette nouvelle espèce, qui remplacerait toutes les autres.

Yenop voulait à tout prix empêcher cette folie. Il chercha en vain dans les grimoires et autres textes mystiques. Ce faisant, il acquit une telle quantité de connaissance qu'un disciple le surnomma Pakir-Skal, c'est-à-dire, le grand sage, nom par lequel il fut connu de tous, désormais. Pendant les 800 ans qui suivirent, Pakir chercha comment arrêter Lama.

— *Les Chroniques secrètes*

CHAPITRE UN

L ama-Thiva psalmodiait une formule magique. Sourcils arqués, paupières à demi closes, la souveraine du Monde connu répétait les mêmes mots encore et encore. La sueur qui coulait sur son front et dans son cou ne paraissait pas la déconcentrer. Ses cheveux châtain clair, normalement coiffés en boucles, étaient aplatis comme à la suite d'une averse. Lama ne semblait pas s'en soucier, ce qui n'étonnait nullement Twilop. Quand sa maîtresse atteignait ce niveau de concentration, le monde aurait pu s'écrouler autour d'elle sans qu'elle bronche.

L'hermaphroïde assistait souvent aux séances de travail de la magicienne, mais rarement sa créatrice avait montré autant de fébrilité.

L'espèce de cocon, installé directement sur le sol en pierre, ressemblait à un chou géant. Twilop savait ce qu'il contenait et le fixait, anxieuse de voir si sa maîtresse allait enfin réussir. C'était d'une cosse semblable que l'hermaphroïde était née, dix ans plus tôt. Elle avait survécu, malgré une faible constitution physique qui l'avait handicapée dans les premières années de sa vie. Les autres hermaphroïdes étaient toutes mort-nées,

19

de sorte que Twilop restait pour le moment la seule représentante de son espèce.

Lama pouvait réussir, cette fois, mais Twilop ignorait si elle devait s'en réjouir.

Il y avait une centaine de cosses, à même le sol de la caverne. Elle les avait souvent observées lorsque Lama en choisissait une pour l'alimenter du pouvoir du Pentacle et qu'elle l'accompagnait. Elle avait vu les échecs successifs de sa maîtresse au cours des ans. Mais, depuis quelque temps, les choses avaient changé. Les cosses étaient désormais de formes différentes, selon leur contenu d'origine.

— *Ena ma galik Nitram*, clama la magicienne. *Ena ma galik Nitram Ka !*

Twilop sursauta en constatant que Lama tentait de provoquer une naissance, ce qu'elle n'avait pas essayé depuis près de trois mois. Posé sur une table pliante, quelques centimètres sous sa main gauche, le morceau du Pentacle, scintillait d'un éclat rougeoyant. Une lueur jaune jaillissait des doigts de la main droite de la magicienne. De temps à autre, la lueur s'intensifiait, révélant un lent mouvement de cette lumière surnaturelle qui glissait des doigts de Lama pour envelopper la cosse.

La lueur s'éteignit et le morceau de Pentacle redevint gris, mais la cosse continua à briller. La lumière pulsait comme si elle marquait le rythme du battement d'un cœur.

Un craquement se fit entendre et une fissure apparut sur le sommet de la cosse. Un liquide clair, de consistance huileuse, s'écoula de la déchirure. Durant les secondes qui suivirent, rien de plus ne se passa, de sorte que Twilop en déduisit que Lama avait échoué une fois de plus. Puis, le cocon se mit à trembler. La fissure s'élargit, vomissant davantage de liquide. Un feuillet de la gousse s'écarta, mais retomba sur l'ouverture. Lama ne fit aucun geste pour aider la créature à naître. Le feuillet bougea une fois, deux fois, avant de s'écarter pour de bon. Enfin, la nouvelle hermaphroïde se redressa.

Twilop eut un choc. La créature lui ressemblait par certains aspects : elle était également bipède, sa peau était blanche comme un nuage, sans pigment, et ses cheveux étaient blancs eux aussi. Le nouvel être possédait les attributs sexuels des deux sexes, comme toute créature hermaphrodite. Pour le reste, le nouveau-né qui sortait de la cosse et faisait ses premiers pas était presque aussi grand que Twilop. Alors qu'elle se savait chétive, sa nouvelle sœur exhibait une forte musculature.

Lama regardait sa création, le visage rayonnant de fierté. Elle fit un signe à Twilop, qui prit une serviette sur la table et commença à frictionner la nouvelle venue. La créature frissonna au contact de l'air frais de la caverne et Twilop s'empressa de l'emmitoufler dans une couverture. Lama fit asseoir le nouveau-né.

— Je savais que je finirais par trouver, murmurat-elle.

Elle s'adressa à Twilop.

— Ce sera tout pour aujourd'hui. Remets le morceau dans son coffret et va ranger la table.

Twilop prit la pointe du Pentacle sur le tabouret et ressentit à son contact le picotement qui lui était familier. Alors qu'elle le déposait dans le coffret au couvercle de verre, elle songea à l'ironie de la situation. Elle avait été créée grâce à la magie de ce fragment et elle pouvait non seulement le manipuler, mais en ressentir la présence. Cela lui avait permis jusqu'à présent d'assister Lama dans ses expériences. Qu'en serait-il, à présent qu'une seconde hermaphroïde existait ?

Elle regarda encore une fois sa consœur. La toute jeune créature était plus forte, plus résistante, mieux réussie. Lama ne la quittait pas des yeux, le regard rempli de fierté. Jamais elle n'avait regardé Twilop ainsi. L'aînée prit le coffret et marcha vers la sortie du laboratoire, inquiète pour son avenir. Elle se savait désormais inutile.

— Twilop ?

— Oui, maîtresse ?

— Quand tu auras fini de ranger, va voir Pakir et demande-lui de me rejoindre dans la salle du trône. Il faut qu'il voie ma réussite. Je recevrai ensuite les délégués des versevs et des géants.

— Bien, maîtresse.

— Quand j'en aurai fini avec ces formalités, tu viendras me voir. Nous parlerons de ton avenir.

Twilop hocha la tête, plus inquiète que jamais. Elle regarda les nombreuses cosses qui couvraient le sol de la caverne. Chacune renfermait une créature qui la rendrait plus inutile encore. L'hermaphroïde ramassa la table pliante et se dirigea vers la sortie. Arrivée à l'entrée, elle se retourna de nouveau, s'attardant cette fois sur l'enveloppe qui venait de donner naissance à une nouvelle créature. La forme chevaline du centaure qu'elle avait contenu se devinait encore.

Lama examina avec soin sa nouvelle hermaphroïde avant de l'installer dans une chambre du laboratoire. Sa création allait se reposer avant de prendre son premier repas, vers la fin de la journée. Même si elle n'avait que quelques heures, elle affichait le développement physique d'une jeune adulte. Sur le plan intellectuel, cependant, il faudrait l'éduquer. Sa créature apprendrait vite et saurait se débrouiller dans deux ans environ, soit trois fois plus tôt que Twilop.

Quelle bonne idée elle avait eue, d'utiliser un être vivant comme base pour la création de l'hermaphroïde, plutôt que de partir d'une cosse vide ! Les multiples échecs de la méthode précédente l'avaient convaincue qu'il s'agissait là de l'unique moyen d'atteindre son but. En fait, n'eût été la naissance de Twilop, Lama serait arrivée à cette conclusion bien plus rapidement.

Elle sortit du laboratoire. Un léger scintillement éclaira le cadre de la porte lorsqu'elle passa le seuil. Le sort qu'elle avait intégré au cadre venait de faire son effet. Lama n'avait pas besoin de vérifier dans une glace pour savoir que la sueur avait été séchée sur sa peau nettoyée et que sa coiffure avait repris son aspect normal. Sans avoir eu à se rendre dans ses appartements pour prendre un bain et se changer, Lama-Thiva était prête à siéger sur son trône.

Comme il était agréable d'être magicienne !

Lama entra par la porte dérobée qui donnait sur l'estrade, juste derrière le trône, et prit place sur le siège royal. La magicienne avait une vue d'ensemble de la pièce. Elle ne portait plus aucune attention à la décoration depuis des siècles. Ni le plancher de carreaux blancs et noirs, ni les colonnes finement sculptées, ni les lustres qui brillaient sans flammes grâce à la magie qu'elle y avait insufflée ne la distrayaient. Lama appréciait l'effet intimidant de cette magnificence sur les visiteurs ; ils traversaient la salle sur toute sa longueur et se présentaient à elle plus dociles.

Pakir entra. Il ne payait pas de mine et Lama se réjouit de le voir en si piteux état. Le vieux centaure connaissait parfois des périodes de rémission et menait une vie presque normale. Le plus souvent, cependant, l'arthrite le rongeait. Sa chevelure blanche encadrait un visage au nez arqué et à la peau noire ravinée de rides ; la robe de sa partie chevaline avait viré au gris. Par ailleurs, il était pris de tremblements et maintenant il portait une couche.

— Approche, Pakir.

La magicienne souriait et accompagnait son ordre d'un geste de la main. Pakir fixa sur elle un regard résigné et s'avança d'un pas chancelant, le bruit de ses sabots, qui trouvaient peu de prise sur le dallage ciré, résonnant sur le plancher. Vers le centre de la salle, il glissa légèrement et s'arrêta pour tâcher de garder son équilibre. Il y parvint de justesse, à la grande déception de Lama. Pakir venait de la priver d'une occasion de se moquer de lui. Mais elle retrouva bientôt le sourire en songeant au déplaisir qu'il éprouverait lorsqu'elle lui apprendrait son succès.

— Tu souhaitais me voir, Lama ? demanda le centaure, sans se donner la peine de saluer, ni non plus d'agrémenter son intervention de quelque titre ou marque de déférence que ce soit, comme toujours.

Malgré sa santé défaillante, Pakir avait conservé la force de son esprit, en dépit des efforts de Lama pour le briser. Il posa sur la magicienne un regard triste qu'elle soutint un moment avant de baisser les yeux la première. Choquée de s'être laissé intimider une fois de plus, elle prit un ton mielleux pour répondre.

— Je t'ai convoqué, confirma-t-elle. Devines-tu pourquoi ?

Le centaure garda le silence.

— J'ai réussi !

Lama ne dit rien de plus, mais elle vit qu'enfin Pakir réagissait. Elle n'avait pas à lui dire en quoi consistait sa réussite, le vieux centaure le savait. Il s'était souvent moqué de son rêve de remplacer les espèces actuelles par une espèce unique. Quelques années après la naissance de Twilop, Lama l'avait confiée à son ancien collègue afin qu'il assure son éducation. Elle l'avait chargé de cette tâche pour le narguer, sûre que cette présence permanente auprès de lui finirait par le briser. Cette ruse avait été vaine. Cette fois, elle en avait la conviction, serait la bonne.

— J'imagine que ta joie est aussi intense que la mienne, se moqua-t-elle. Enfin, une paix éternelle régnera dans le Monde connu !

— Comment est-elle ? demanda Pakir.

— Forte, crâna Lama. Tout le contraire de Twilop. Et elle sera bientôt accompagnée de beaucoup de consœurs.

Pakir resta muet, mais Lama se délectait de la contrariété qu'elle lisait dans son regard. Elle savourait ce moment auquel elle avait tant rêvé. Depuis le bris du Pentacle, Pakir l'avait trop souvent sermonnée, lui servant ses paroles de sagesse et trouvant toujours le moyen de désamorcer ses tentatives pour le rabaisser. Cette fois, elle avait gagné.

— Tu devras préparer des classes pour tous ces élèves, reprit la magicienne. Tu auras donc plus que des cours particuliers à donner. Où en sont les études de Twilop ?

— C'est une excellente élève, comme tu le sais.

— Saurait-elle t'assister dans ta tâche d'enseignement ?

Pakir hésita.

— Elle pourrait donner les cours de base, répondit-il.

— C'est insuffisant. Je veux qu'elle puisse enseigner au plus grand nombre. Lui as-tu appris tout ce que tu savais ?

— Qui peut tout apprendre ? rétorqua Pakir. Qui peut tout savoir ?

Lama se retint d'afficher son exaspération.

— Tu lui as fait découvrir tous les ouvrages de nos bibliothèques, rappela-t-elle. Pourquoi est-ce insuffisant ?

— Il y a une autre source de savoir…

— La bibliothèque de Raglafart ?

Pakir confirma d'un hochement de tête.

— Elle pourrait apprendre beaucoup dans les ouvrages des temps anciens, expliqua-t-il.

Lama réfléchit à la suggestion.

— Je vais donc l'envoyer à Raglafart pour qu'elle y suive un programme complémentaire, conclut-elle. Trouve-lui un passage sur un navire en partance pour le Gnol.

— Une caravane doit partir dans trois jours pour Saleur, annonça Pakir. Le voyage par la route exige plus de temps, mais je connais un centaure qui fera partie de cette caravane. Twilop pourrait l'accompagner. Mon ami trouvera quelqu'un pour la conduire à Raglafart. En fait, si je le lui demande, il pourrait même l'y emmener lui-même.

— Peu m'importent les détails ! Prends les dispositions nécessaires. Je dois arbitrer un différend entre nos amis les géants et ces idiots de versevs… Tu peux te retirer.

Lama regarda le vieux centaure s'éloigner de son pas hésitant. Elle savourait son triomphe. Elle avait réussi pour une fois à prendre Pakir de court, tout en sachant qu'elle devait continuer à s'en méfier. Il n'y avait aucun doute dans son esprit, son rival chercherait à la convaincre de renoncer à son merveilleux projet. En vain, bien entendu. Jamais elle ne céderait à ses arguments.

— Faites entrer les versevs, ordonna-t-elle.

★ ★ ★

Elbare resta béat en découvrant la magnificence de la salle du trône.

Le jeune versev accompagnait la délégation de son peuple à Capitalia. C'était une première occasion pour lui de découvrir le monde. En fait, Elbare n'avait jamais quitté la Versevie, sauf lors de son pèlerinage à Ênerf pour consacrer sa majorité. Son peuple maintenait cette tradition en dépit de sa défaite, dix siècles plus tôt, aux mains des géants, alors que les versevs avaient perdu leur site sacré et toutes les terres à l'ouest de l'Intra. Le Traité du col de l'Armistice leur avait heureusement accordé le droit de poursuivre les pèlerinages, même si la ville appartenait désormais aux géants.

Elbare ne connaissait donc que les colosses avant d'accompagner Nipas et Salil à Capitalia. La marche les avait conduits à la passe Trizone, située à l'intersection des régions Centre, Est et Sud. La délégation y avait croisé des centaures et quelques humains. Elbare les avait regardés avec une stupéfaction non dissimulée. Ils étaient si différents d'eux !

Les humains ressemblaient aux versevs, sauf qu'ils n'avaient pas la peau verte et des cheveux dans les mêmes teintes. Ce n'était pas non plus des végétaux se nourrissant de la force du soleil, comme eux. Les centaures, en revanche, étaient uniques parmi les espèces pensantes du Monde connu, avec leur torse humain et leur corps chevalin, cependant plus petit que celui des chevaux. Ils mesuraient environ deux mètres de la tête aux sabots.

Ils étaient arrivés de nuit à Capitalia, si bien qu'Elbare n'avait vu que peu de choses de cette ville. Les versevs s'étaient rendus directement à leur ambassade pour y passer la nuit. Au matin, ils étaient partis pour le palais du Pentacle. Le peu qu'il avait vu de la capitale l'avait convaincu de visiter la cité, une fois la rencontre terminée.

Elbare resta paralysé par le trac à l'extrémité de la salle. Quand il vit la déesse-reine sur son trône, le versev en oublia tout le reste. C'était donc elle, qui vivait depuis des siècles sans jamais vieillir. Il osa à peine lever les yeux vers la souveraine. Vêtue d'une robe blanche aux franges dorées, la déesse se tenait bien droite, la tête haute, affichant sa discrète couronne, comme pour exhiber clairement sa supériorité. Intimidé, Elbare détourna le regard.

Nipas dut lui donner un coup de coude pour le faire avancer, un pas derrière ses compatriotes. Ils traversèrent la vaste salle. Le jeune versev se heurta presque à ses amis lorsqu'ils s'arrêtèrent au pied de l'estrade. Nipas et Salil s'inclinèrent et il s'empressa de les imiter. Ils restèrent ainsi de longues secondes, au point que la situation devint embarrassante.

— Bienvenue à Capitalia, honorables versevs ! lança finalement la déesse.

— Nous vous remercions de votre accueil, divine Lama ! répondit Nipas. Nous sommes venus solliciter votre sagesse. Notre peuple connaît des tourments.

— J'entends votre supplique et j'écoute.

— Divine Lama ! plaida Salil, nous vivons un désaccord avec les géants. Depuis six mois, les passeurs qui nous mènent à Ênerf ont augmenté leurs prix. Ceux qui se trouvaient sur l'île au moment de l'entrée en vigueur de cette mesure n'ont pu quitter Ênerf et ont été emprisonnés, puisqu'il est interdit aux nôtres de circuler sur l'île en dehors du pèlerinage. Nous vous supplions d'intercéder en notre faveur pour libérer les prisonniers et faire réviser les nouveaux tarifs.

La déesse fit une moue qui trahissait son agacement, comme si elle se considérait au-dessus de pareilles considérations, trop terre à terre à ses yeux.

— Voilà une préoccupation sérieuse, ironisa-t-elle. Il serait abusif de faire payer un double passage à des pèlerins… tout comme il serait injuste que les géants ne puissent s'expliquer. Il y a justement une délégation de géants arrivée aujourd'hui et qui attend d'être reçue. Je suis convaincue que vous ne souhaitez pas que je prenne une décision sans avoir entendu au préalable les deux parties. N'est-ce pas ?

Elbare vit nettement les épaules de Salil s'affaisser.

— Cela va de soi, répondit son collègue.

Salil disait souvent que les versevs ne recevaient pas un traitement équitable dans la gestion des affaires du Monde connu, mais il n'aurait jamais osé exprimer cette opinion en public, de crainte qu'on le dénonce. Des propos ayant l'air de mettre en question l'omnipotence de la déesse auraient été considérés comme séditieux. La réaction de Salil, toutefois, trahissait son découragement. Il devait croire que leur supplique était déjà rejetée.

Lama ordonna qu'on fasse entrer les géants. Ils ressemblaient à tous ceux qu'Elbare avait vus. Le mâle était légèrement plus grand que la femelle, mais ils faisaient tous deux les quatre mètres des membres de leur espèce. La femelle avait un teint gris et un pelage moins fourni que celui du mâle, dont le poil tirait sur le brun. Tous deux s'avancèrent et s'inclinèrent pour saluer la déesse. Quand ils se redressèrent, Elbare remarqua que leurs têtes arrivaient à la même hauteur que celle de Lama assise sur son trône.

— Je vous salue, amis de l'Est ! lança Lama sans les faire attendre, contrairement à ce qu'elle avait fait pour les versevs. Cette délégation venue de la Versevie prétend que vous avez haussé les frais de la traversée jusqu'à Ênerf et que ceux qui n'ont pu payer le voyage de retour ont été emprisonnés. Je suppose que vous pouvez expliquer ce malentendu.

— Tout à fait, répondit la géante. Comme vous le savez sûrement, les navires servant au transport sont vieux et ont besoin de réparations. L'augmentation des tarifs permettra d'y procéder et assurera ainsi la sécurité des passagers et des équipages.

— Et le nombre de pèlerins croît régulièrement, ce qui nous oblige à construire deux nouveaux navires, intervint le mâle.

Une augmentation du nombre de pèlerins ? Mais de quoi parlait ce géant ? De toutes les espèces du Monde connu, les versevs constituaient celle qui avait le plus souffert lors de la Guerre ultime, au point de presque disparaître. Depuis, ils vivaient reclus en Versevie et se mêlaient peu aux autres espèces. Leur population se maintenait tout juste et l'extinction les menaçait en permanence. Comment ce géant pouvait-il prétendre le contraire ?

— Ce n'est pas vrai ! s'écria Nipas. Notre population n'a pas augmenté depuis des décennies.

— Silence !

La déesse fixa un regard courroucé sur le versev qui avait osé s'exprimer sans y être invité. Elle se tourna vers les géants.

— Il me paraît injuste que les versevs présents sur l'île au moment de la prise de cette mesure restent emprisonnés, commença-t-elle. Il faudra les relâcher. En revanche, la sécurité des pèlerins dépend de la rénovation des navires et il est normal que les prix du transport augmentent en conséquence. J'ordonne que les nouveaux tarifs soient affichés. J'ai dit !

Les géants s'inclinèrent devant la déesse. Elbare fit de même, imitant ses compatriotes qu'il suivit à l'extérieur de la salle du trône. Salil marchait en silence, la tête basse. Il n'aurait servi à rien de le questionner pour connaître ses sentiments, sa déception était évidente. Au contraire, Nipas pressait le pas, faisant claquer ses orteils racines sur le dallage.

— C'est incroyable ! marmonnait-il. Elle a encore tranché en leur faveur. Elle tranche toujours en leur faveur !

— Elle a néanmoins exigé la libération des prisonniers, tempéra Elbare.

— Ne sois pas naïf ! Cette libération n'est qu'une friandise qu'elle nous donne pour nous calmer. Il faudra bien qu'un jour les choses changent.

— Tais-toi ! intervint Salil. Les gardes vont nous entendre.

— Je m'en moque ! explosa Nipas. C'est injuste et tout le monde devrait le savoir.

Il suivit ses compagnons, non sans continuer à ronchonner. Les trois versevs sortirent du palais et se retrouvèrent dans les rues de Capitalia. Elbare se rappela qu'il avait eu l'intention de visiter la ville après la rencontre. C'était justement dans le quartier du palais que se trouvaient les monuments les plus intéressants. Pourtant, il y jeta à peine un regard, déçu lui aussi de la décision de la déesse. Il n'aurait pas osé l'exprimer à haute voix, mais il approuvait Nipas sans réserve. Il faudrait que les choses changent un jour.

✪ ✪ ✪

Nolate fut surpris quand son ancien professeur Pakir-Skal entra dans son bureau de l'Académie militaire. Son maître n'avait pas l'habitude de se présenter ainsi sans s'être fait annoncer. L'étonnement du centaure redoubla devant l'air défait du vieux sage. En 800 ans, maître Pakir avait tellement vécu qu'il devait s'être produit quelque chose de vraiment terrible pour l'affecter au point qu'il laissât paraître son désarroi.

Nolate se rappelait encore sa première rencontre avec le magicien, alors qu'il n'était qu'un jeune adulte fraîchement arrivé du Sud. Intimidé, il avait à peine réussi à bafouiller quelques politesses face au légendaire centaure, vénéré par tous ses compatriotes. Leur amitié était née à cette lointaine époque, lorsqu'il était devenu l'élève de Pakir. Plus tard, à la demande de son ancien mentor, le centaure était revenu à Capitalia pour y enseigner à son tour. Il était devenu un des maîtres d'armes les plus respectés de l'Académie.

— Que se passe-t-il, maître ?

Sans un mot, Pakir sortit deux fioles de sa poche. Il posa la première sur le bureau de Nolate et en retira le bouchon. Une odeur musquée se répandit dans la pièce. Il ouvrit la seconde qui contenait une poudre grise et en versa une pincée dans le liquide de la première fiole. D'incolore, la substance devint rouge.

— *Karrga Eve Iveneg*, psalmodia le vieux centaure.

Nolate s'étonna en entendant le nom humain de Lama-Thiva. Il connaissait le sort que venait de lancer son mentor. Pendant les prochaines minutes, les pouvoirs de la déesse-reine ne lui permettraient en aucune façon d'épier ce qui se passerait dans le bureau. Qu'était-il arrivé pour que le vieux sage invoque le secret ?

— Elle a réussi, dit enfin Pakir-Skal.

Le magicien ne semblait pas décidé à fournir d'explications. Il fallut quelques secondes à Nolate pour deviner ce à quoi il faisait allusion. Quoi d'autre que le projet démentiel de Lama-Thiva pouvait perturber Pakir-Skal ? Il lui avait expliqué les visées de la déesse. Si elle avait réussi – et Nolate n'avait aucune raison de douter de la parole de son mentor – l'existence même de tous les peuples était menacée.

— Elle va nous faire tous disparaître ! s'écria Nolate.

— Sauf si nous mettons notre plan en branle.

Nolate garda le silence un court moment.

— Je comprends, fit-il. J'aimerais pourtant qu'il y ait une autre solution.

— Je réfléchis aux conséquences d'un éventuel succès de son plan depuis dix ans, Nolate. Il n'y a pas le choix. Jamais elle ne renoncera.

— Elle doit donc mourir !

Nolate se faisait l'effet d'un traître à seulement évoquer cette possibilité. C'était néanmoins la seule conclusion à laquelle Pakir et lui étaient arrivés en réfléchissant au moyen de contrer les intentions de la déesse. Aussi longtemps que Lama vivrait, ses fidèles se battraient pour la maintenir au pouvoir et conserver leurs privilèges. Et comme elle ne renoncerait jamais d'elle-même…

Longtemps auparavant, au fil de ses recherches, Pakir avait découvert qu'il existait une menace sur leur vie, à Lama et lui. Il s'agissait d'une particularité du Pentacle qu'ils pouvaient exploiter. Si quelqu'un le recomposait sans faire usage de la formule magique adéquate, il perdrait instantanément tous ses pouvoirs et les deux magiciens reprendraient les années épargnées. Nolate s'était opposé à cette solution, le jour où Pakir la lui avait exposée. Mais le vieux magicien s'était aussitôt montré rassurant.

— J'ai trouvé une formule capable de me soustraire aux effets du Pentacle, avait-il avoué en souriant. Il me faut la lancer en présence de tous les morceaux mais, grâce à elle, je reprendrai simplement le cours d'une vie normale.

L'ironie de la situation n'échappait pas à Nolate. Il savait pourquoi Pakir avait fait disperser les morceaux du Pentacle et c'était cette dispersion qui l'obligerait à faire ce que son mentor ne pouvait accomplir, soit de partir de par le monde pour récupérer les quatre pointes. À l'époque, chaque envoyé était revenu pour expliquer au magicien comment il avait disposé de la sienne, sauf l'un d'eux qui, incapable de rentrer, avait confié un message à un pigeon voyageur.

Pakir avait récemment raconté l'histoire de chacun de ces morceaux à Twilop, qui saurait donc où chercher. Elle disposait même d'un avantage de plus pour l'aider, un talent spécial lié au fait que Lama avait utilisé la pointe restée en sa possession pour concevoir l'hermaphroïde : elle pouvait en effet sentir la présence d'un éclat du Pentacle à près de cent mètres de distance. Ce don, ils en auraient particulièrement besoin pour obtenir le cinquième morceau, car ils devraient le voler au sein même du palais, sous le nez de Lama.

— Néanmoins, soupira Nolate, je doute que la présence de Twilop suffise à convaincre les peuples des autres régions de se rebeller.

Car il y avait un deuxième aspect à la mission que Nolate devait entreprendre. Pakir et lui savaient ce qu'il adviendrait en cas d'échec, mais le succès ne réglerait qu'une partie du problème. À la mort de Lama, le pouvoir deviendrait vacant, ce qui plongerait à coup sûr le Monde connu dans une sanglante guerre civile. Aussi, Twilop et lui devaient-ils convaincre les peuples des autres régions de former une armée pour assurer la transition. Cela n'allait pas de soi : pourquoi les différentes espèces accepteraient-elles la parole d'un centaure escortant une créature d'une espèce inconnue pour eux ? Nolate considérait dans ce contexte qu'il avait besoin d'une équipe pour l'accompagner.

— Je suis d'accord, commenta Pakir. Tu sauras rallier les centaures, mais un cyclope et un Viking devraient se joindre à toi pour faciliter l'adhésion de leur peuple respectif à notre cause. Inutile de contacter les géants, ils resteront sans doute fidèles à la déesse.

— Et un versev ?

— Je ne crois pas qu'ils accepteront non plus. Leur nature de végétaux écarte la menace de transformation et ils préféreront éviter tout risque de représailles de la part de Lama.

— D'accord ! Un cyclope et un Viking ! J'ai un élève humain très brillant, venu de Dragonberg. Les siens ont toujours gardé une plus grande indépendance de pensée envers Lama-Thiva. Je vais le convoquer et lui parler discrètement.

— Pour ma part, fit Pakir, je connais une cyclope qui voudra sûrement nous aider. Elle serait particulièrement utile pendant vos recherches dans l'Ouest. Convoque ton élève, je vais faire de même avec ma protégée. Réunissons-les et expliquons-leur la situation.

— Entendu.

Pourtant, Nolate ne se sentait pas rassuré devant les risques qu'il se préparait à courir. Son élève viking refuserait peut-être d'adhérer à un plan aussi risqué. Après tout, Nolate allait lui proposer rien de moins que la participation à un acte de trahison. Et la cyclope dont parlait Pakir ? Le vieux maître semblait sûr de son affaire, mais même lui pouvait se tromper dans son évaluation. Pourtant, il n'y avait plus à tergiverser. Il fallait tenter le coup, le vieux sage avait raison.

Il fallait arrêter Lama-Thiva.

CHAPITRE DEUX

T wilop retrouva son poste d'observation favori, le chemin de ronde de la tour de guet située à la pointe ouest du palais. L'hermaphroïde appréciait particulièrement cet endroit, depuis lequel elle pouvait admirer presque toute la ville. Les multiples monuments élevés à la gloire des différentes espèces du Monde connu formaient un ensemble à la fois disparate et harmonieux. Disparate de par la diversité des constructions, harmonieux de par l'aménagement des rues et des places reliant les quartiers de la capitale.

Il y avait là les huttes de paille des centaures, les maisons en corail rosé des cyclopes et les solides bâtiments cubiques des géants. Les isbas des Vikings se trouvaient un peu plus loin vers le nord, où se dressaient même deux pyramides djinns, juste avant les quartiers d'habitation et le quartier marchand. Là aboutissait le Grand Canal qui passait sous les monts Centraux et menait aux plaines agricoles de l'Est. Capitalia était vraiment une merveille d'architecture.

Aujourd'hui, pourtant, Twilop n'en voyait rien.

— Tu as toujours aimé la vue, n'est-ce pas ?

Twilop sursauta, n'ayant pas entendu maître Pakir approcher. Elle se tourna vers le vieux centaure, surprise de sa présence. Il y avait un escalier pour atteindre le chemin de ronde et, à cause de son arthrite, c'était le genre d'endroit que le magicien préférait éviter. Son professeur n'avait pu faire l'effort de l'y rejoindre que pour aborder un sujet très important. Elle pensait deviner.

— Désolé, je ne voulais pas t'effrayer.

— Ce n'est rien.

— Je devine ta hâte de partir, reprit Pakir. Tu en as souvent rêvé. En même temps, tu es effrayée à l'idée de t'éloigner de ce que tu as connu toute ta vie.

— Vous me connaissez si bien ! répondit Twilop.

Son regard se porta bien au-delà des murs, vers les champs et les vallons de la partie occidentale du Centre. Elle avait souvent demandé à sortir de la ville, ne fût-ce que pour visiter la campagne environnante. Lama avait invariablement refusé. Elle rappelait à l'hermaphroïde qu'elle ne devait courir aucun risque, compte tenu de son importance dans le plan de repeuplement du Monde connu. Une raison qui n'existait plus, désormais.

Twilop soupira.

— Songes-tu parfois à ton avenir, Twilop ?

L'hermaphroïde se tourna vers le vieillard. Même si elle était une création de Lama, c'était lui qui avait assuré son éducation. Twilop n'était donc en rien une disciple de la déesse. Pakir lui avait déjà fait part de son projet d'éliminer Lama-Thiva et de rendre le monde à ses habitants. Aurait-elle une place parmi les autres espèces ?

— Ai-je un avenir ? fit Twilop. Ma maîtresse ne m'a jamais vue autrement que comme le fruit d'une expérience à demi réussie. Dans son monde, chaque hermaphroïde sera plus forte et mieux conçue que moi. Au mieux, je ne serai qu'un objet de curiosité et de railleries.

— Crains-tu qu'elle t'élimine, une fois que ses créatures seront en nombre suffisant pour peupler le Monde connu selon ses goûts ?

— Je crois bien que telle est son intention, avoua Twilop.

Pakir ne répondit pas. Il porta son regard sur la capitale.

— Je sais que tu aimes cette cité, soupira-t-il. Elle est née d'un mélange de plusieurs styles reflétant des mentalités variées. Ces différences font sa beauté. Le monde de Lama mettra fin à cette diversité.

— Oui, son projet détruira tout cela.

— Et nous détruira aussi. Vois-tu, Lama n'a pas compris que la diversité fait la force de notre civilisation. Elle souhaite que tous soient identiques, mais chaque individu est important de par le seul fait de son unicité. Cela vaut également pour toi ; toi aussi, tu es unique. Dans son nouveau monde, nous n'aurons aucune place, ni toi ni moi. Ni les peuples à l'origine de ces merveilles.

— Il faut empêcher cela ! lança Twilop.

Le vieux centaure sourit.

— Tu sais ce qu'il faut faire, répondit-il. Quelqu'un devra se rendre dans chaque région du monde et y récupérer les morceaux de Pentacle. J'aimerais que tu t'en charges.

— Le moment est venu ?

— J'ai un ami qui t'escortera. Ensemble, vous révélerez aux différents peuples ce que Lama trame. En te voyant, ils sauront que c'est vrai et se soulèveront.

Twilop savait que son maître formulait une demande, et non un ordre.

— Maîtresse Lama prépare un génocide, commenta-t-elle. Si vraiment je suis la clé qui permettra de l'arrêter, j'irai.

Elle partit d'un rire sardonique.

— Ce n'est pas comme ça que j'espérais découvrir le monde !

Le silence qui suivit se prolongea. Twilop avait pourtant une foule de choses à dire à celui qu'elle ne reverrait que dans un lointain avenir, si elle survivait au voyage… Elle voulait lui dire combien elle avait apprécié sa présence toujours généreuse et sa gentillesse. C'était le moment de lui montrer toute l'affection qu'elle lui vouait. Et voilà qu'elle ne trouvait pas les mots pour affirmer son admiration.

— Ô maître ! Vous me manquerez plus que je ne saurais le dire. Vous êtes un père pour moi.

Elle se jeta dans les bras du vieux centaure et éclata en sanglots, incapable de retenir plus longtemps ses émotions. Twilop se sentait honteuse de donner à son mentor le spectacle de cet épanchement émotionnel. Mais Pakir ne parut pas en prendre ombrage. Il la tint dans ses bras et la laissa pleurer sur son épaule.

— Je suis heureux de t'entendre parler ainsi, Twilop. Tu as été plus qu'une élève, pour moi. Beaucoup plus.

Un instant plus tard, elle sentit les épaules de son professeur tressaillir et réalisa qu'il pleurait aussi son départ.

Curieusement, cela lui permit de se sentir mieux.

La caserne de l'armée du Pentacle se trouvait à la limite sud de Capitalia, tout contre le mur d'enceinte de la ville. On y dénombrait plusieurs bâtiments, des salles d'entraînement surtout, ainsi que des cantines et des dortoirs. Il y avait aussi une vaste cour dans laquelle les aspirants soldats s'entraînaient. Certains s'exerçaient au javelot ou à l'arc – principalement des centaures – d'autres à la hache ou au fléau d'armes. Sénid leur portait peu d'attention, concentré sur le maniement de son épée.

— En garde ! cria le sergent instructeur, un humain dans la quarantaine.

Sénid se mit en position. Il se tenait bien droit, un pied devant l'autre, prêt à s'opposer à l'assaut du sergent. Quelques soldats qui n'étaient pas en service le regardaient de loin. Le Viking n'avait pas l'intention de les impressionner, sachant qu'il aurait perdu son temps et gâché son énergie. Quoi qu'il fît, les gardes ne l'acceptaient pas comme un des leurs. Pourtant, il leur ressemblait, dans son uniforme bleu nuit orné d'un pentacle sur chaque épaule. Ni ses yeux ni ses cheveux, d'un brun très sombre, ne révélaient ses origines septentrionales.

Deux ans plus tôt, à son arrivée à Capitalia, Sénid avait déclaré vouloir devenir un garde du Pentacle. Son souhait lui avait valu les railleries des soldats de cette garde, des humains tous issus du Centre et plus particulièrement des familles des proches de la déesse-reine. Une situation que Sénid avait toujours trouvée injuste.

Les premiers jours, il avait réagi à ces moqueries. Il avait ainsi essuyé plusieurs blâmes en dépit du fait qu'il n'était jamais l'instigateur des problèmes. Il avait subi maintes punitions pour des incidents dans lesquels il n'avait même pas été impliqué. Sénid avait d'abord cru qu'il faisait l'objet d'un bizutage et que les choses s'arrangeraient dès qu'il aurait prouvé sa valeur. Le Viking avait découvert depuis que les gardes du Pentacle méprisaient tous les ressortissants des autres régions.

Il est vrai que Sénid s'était rendu compte qu'il en connaissait beaucoup moins qu'il ne le croyait dans le maniement des armes. Il avait dû apprendre la modestie, en tout premier lieu. Mais, grâce à Nolate, le maître d'armes, il avait lentement progressé. Le centaure n'avait jamais affiché de mépris à son endroit, sans doute parce qu'il venait lui aussi d'une autre région et qu'il avait longtemps subi les mêmes railleries. L'entraînement sous sa tutelle lui avait permis de démontrer enfin l'étendue de ses capacités… sans que les moqueries des soldats humains cessent.

Le sergent porta une attaque que Sénid para. Il réagit promptement à toutes les variantes qu'essayait l'officier, parant les coups droits et de flanc. L'homme semblait furieux de ne pouvoir prendre son adversaire en défaut. Le Viking attaqua à son tour, ce qui obligea l'instructeur à reculer. Le quadragénaire fit le signe commandant une trêve. Sénid arrêta le combat et recula d'un pas. Son adversaire lui porta un coup sournois que le Viking évita en sautant vivement en arrière.

— Imbécile ! s'écria l'instructeur. Quand vas-tu apprendre à respecter les règles ?

Sénid ne répondit pas, c'eût été inutile. Les brimades injustifiées faisaient partie du traitement auquel il s'était habitué. Le Viking préférait se remonter le moral en songeant que pour le toucher le sergent avait utilisé un moyen déloyal. Encore une fois, Sénid se demanda pourquoi il ne renonçait pas. Il aurait pu rentrer à Dragonberg et devenir garde dans la protection civile. Seule l'insistance de Nolate, qui voyait en lui la promesse d'un brillant avenir comme chef, l'incitait à rester.

Le sergent se remit en position, prêt pour un nouvel échange. Sénid se prépara en songeant que le quadragénaire n'aurait jamais posé ce geste déloyal en présence de Nolate. L'instructeur tenta une attaque plutôt vicieuse qui visait les jambes du Viking. Il para et plaça quelques coups bien articulés, au point de faire perdre l'équilibre à l'instructeur. L'homme roula dans la poussière.

Sénid se passa la main sur le front pour essuyer la sueur qui menaçait de couler dans ses yeux. Il rentra l'épée dans son fourreau et tendit la main pour aider le quadragénaire à se relever. Son geste fut ignoré. Le sergent resta assis, le souffle court, le visage rouge de l'effort que lui avait imposé son élève. Sénid s'en inquiéta, craignant qu'il ne soit pris d'un malaise. Finalement, l'officier accepta la main tendue et se releva. Il n'y avait cependant aucun adoucissement dans son regard.

— Tu as eu de la chance, jeune homme, déclara-t-il. La prochaine fois, je ne te laisserai pas l'emporter… L'exercice est terminé.

Il s'éloigna, sans formuler de critiques. Sénid le suivit des yeux, alors qu'il marchait avec peine vers la sortie la plus proche. Dans la cour, les soldats avaient interrompu leur entraînement et fixaient le Viking en se tenant presque au garde-à-vous. Sénid se prit à espérer. Peut-être avait-il enfin gagné leur respect. Il réalisa que, si les soldats s'étaient tournés dans sa direction, ils regardaient en fait derrière lui. Sénid se retourna et comprit la raison de l'attitude des soldats. Nolate venait d'entrer dans la cour.

Le centaure vint directement vers lui.

— Bonjour maître, salua Sénid.

— Bel exercice ! répondit Nolate. Tu as brillamment combattu et vaincu un adversaire de valeur.

— Merci. Dommage que ce ne soit pas apprécié.

Le centaure ne releva pas la remarque. Il se contenta de le dévisager en silence. Sénid se sentit intimidé en prenant conscience de l'audace de son commentaire. Connaissant le respect que le maître d'armes portait à tous ses élèves, il s'était cru autorisé à s'exprimer ouvertement. Était-il allé trop loin ? Le centaure sourit, rassurant le jeune Viking.

— C'est plus que dommage, c'est honteux… J'aimerais que tu me rejoignes dans mes bureaux une fois que tu te seras changé. Il y a quelque chose dont je veux te parler.

— À vos ordres.

— Il ne s'agit pas d'un ordre, fit le centaure.

Sénid le regarda s'éloigner, interloqué. Depuis qu'il avait commencé son entraînement, il n'avait aucun souvenir d'avoir vu le maître d'armes faire des mystères. Il convoquait parfois une recrue à son bureau, mais il précisait toujours les raisons de sa démarche. Le Viking haussa les épaules et se dirigea vers la caserne.

Il entendit un sifflement près de son oreille et tourna la tête. Il devina plus qu'il ne vit un objet voler dans sa direction et se jeta vivement au sol. L'objet tomba non loin de lui. Le Viking constata qu'il venait d'éviter de sérieuses blessures, ou même la mort. Un fléau d'armes avait atterri près de lui et la boule bardée de pointes avait failli l'atteindre. Le Viking se releva et épousseta son uniforme. Il regarda vers les apprentis soldats, mais aucun n'affichait quelque signe de culpabilité que ce soit. Un instructeur se permit même de pouffer. Sénid soupçonna l'un d'eux d'avoir *échappé* le fléau.

— L'adresse à l'épée est une chose, lança un soldat d'un ton moqueur. Savoir éviter les coups sur un champ de bataille en est une autre. Quand on est distrait, on se retrouve par terre et l'ennemi a tôt fait de nous submerger.

Dans la cour, les soldats avaient repris l'entraînement. Sénid rentra au vestiaire, songeur. Il se rappela certains accidents survenus à d'autres recrues. En y repensant, le Viking réalisa que les apprentis soldats issus des régions étaient plus souvent blessés lors des exercices. Il en ressentit une rage profonde. Les soldats du Pentacle semblaient prêts à tout pour éviter de partager l'honneur de servir Lama-Thiva et pour profiter de sa générosité.

Parfois, Sénid se disait que le monde serait meilleur sans la déesse et les troupes du Pentacle.

Assise devant la table de travail du laboratoire de Pakir-Skal, Aleel s'efforçait de garder son calme. La jeune cyclope n'y parvenait qu'avec une certaine difficulté. La pièce qui servait de bibliothèque personnelle au magicien lui faisait encore cet effet-là après un an passé à en découvrir les merveilles. Pourtant, la simplicité de son ameublement ne permettait pas de deviner la rareté du contenu des étagères. Aleel craignait souvent d'abîmer un manuscrit précieux et unique. Elle n'en consultait aucun en ce moment. Sa nervosité venait d'ailleurs.

Quand le vieux sage lui avait demandé de venir la rejoindre, il semblait très perturbé, ce qui contrastait fortement avec son attitude ordinaire. Depuis un an qu'elle vivait à Capitalia, Aleel avait appris à bien comprendre Pakir. Il n'entrait pas dans ses habitudes de s'inquiéter pour des broutilles. La cyclope en déduisait donc que quelque chose de grave se préparait.

Elle avait rencontré le vénérable sage dès la deuxième semaine de son séjour en ville. À l'époque, Aleel avait été surprise de son intérêt pour elle. Son étonnement avait redoublé lorsque le magicien lui avait annoncé qu'il souhaitait la prendre pour élève. Pourquoi elle ? Pakir affirmait qu'elle avait un potentiel à développer. Qu'il ait fait cette déduction grâce à sa magie ou en raison de la connaissance des âmes qu'il avait acquise au fil des siècles, la cyclope n'avait jamais songé à refuser son invitation.

— Bonjour, Aleel ! lança une voix dans son dos.

En se retournant pour répondre au magicien, elle vit son propre reflet dans le miroir qui faisait face à la bibliothèque. On la disait jolie, ce qui la gênait toujours un peu. Comme tous les membres de son espèce, elle ressemblait à un humain, hormis son œil unique, bleu dans son cas, deux fois plus grand que celui d'un humain. Pour le reste, Aleel avait une silhouette élancée et, si elle gardait à une longueur impressionnante ses cheveux violets, elle les portait invariablement en queue de cheval, une coiffure qui lui plaisait par sa simplicité.

Voyant que Pakir ne semblait pas pressé de prendre la parole, elle demanda :

— Vous vouliez me voir ?

Le centaure ne répondit pas tout de suite.

— Je me demandais si tu souhaitais toujours parcourir le monde, dit-il enfin. Et je voulais aussi savoir comment vont tes études.

Aleel était plutôt surprise. Pourquoi le vieux centaure lui posait-il une question dont il connaissait parfaitement la réponse ? Un an plus tôt, quand elle était arrivée à Capitalia, Pakir lui avait proposé de s'instruire à même sa bibliothèque personnelle. Il prodiguait son savoir aux représentants de chaque espèce, mais rares étaient ceux qui avaient la chance de se voir accorder pareil privilège. En un an, Aleel n'avait croisé que deux de ces chanceux, deux humains. Elle n'avait pas vraiment eu l'occasion de leur parler.

Elle limitait ses sorties, de crainte qu'on ne l'aperçoive. Avant d'arriver à Capitalia, la cyclope avait vécu six mois à Raglafart. La cité portuaire lui avait plu, mais un compatriote l'avait reconnue. Craignant d'être obligée de rentrer à Œculus, Aleel avait préféré partir. Capitalia n'était pas l'endroit idéal pour échapper à la surveillance, mais elle n'avait pas prévu d'y rester… jusqu'à ce que Pakir lui fasse son offre !

Comment allaient ses études ? En un an, Aleel avait appris beaucoup de choses qui lui seraient utiles dans sa vie future. En fait, une bonne partie du savoir que lui avait transmis Pakir restait ignoré de la population. La jeune cyclope connaissait maintenant tout de l'histoire véritable du Pentacle et du rôle de Lama-Thiva dans l'organisation du Monde connu. Ces choses restaient secrètes pour des raisons évidentes, la déesse-reine ayant réécrit l'histoire à son avantage. La vérité concernant la souveraine avait de quoi faire frissonner les plus courageux.

Finalement, la question semblait plutôt rhétorique et Aleel se concentra sur la première partie de ce que lui avait demandé le vieux sage.

— Oui, dit-elle, je veux toujours aller de par le monde.

Ce n'était pas un secret, elle lui avait souvent parlé de son désir de connaître les autres peuples du Monde connu. Quand elle était enfant, Aleel en avait rencontré certains représentants qui venaient à Œculus. Les Vikings, notamment, se rendaient régulièrement sur l'île Majeure. La jeune cyclope avait été fascinée par ces êtres aux coutumes si différentes et elle voulait découvrir leur milieu de vie, sans contrainte.

— Tu auras peut-être une chance de voyager, avança maître Pakir. J'ai un compatriote qui doit bientôt entreprendre un périple qui le mènera dans toutes les régions du Monde connu. Je dois cependant te prévenir qu'il ne s'agira pas d'un voyage d'agrément.

— Une mission diplomatique ?

Pakir hésita.

— Pas vraiment, fit-il. En fait, je ne peux t'en dire plus tout de suite, sinon que sa mission a une importance vitale pour l'avenir de tous les peuples du Monde connu. J'aimerais que tu le rencontres. Je te sais capable de garder un secret.

Aleel était intriguée. Il arrivait que les populations, lasses de l'oppression des troupes du Pentacle, manifestent leur mécontentement par quelque soulèvement local, d'ailleurs vite réprimé. Autant qu'elle sache, aucune situation critique ne menaçait de dégénérer dans les mois à venir. Les propos de Pakir l'intriguaient. Elle devait en apprendre plus.

— Quand voulez-vous que je le rencontre ? demanda-t-elle.

✪ ✪ ✪

Nolate arriva à son bureau, à l'Académie, et trouva Sénid déjà en train de l'attendre, sur un banc devant la porte. Le centaure n'en fut qu'à moitié étonné. Depuis qu'il suivait la carrière de ce Viking, il avait noté son grand sérieux et sa ponctualité. Comme il rêvait de joindre la garde du Pentacle, il devait se montrer irréprochable en toutes circonstances. Nolate l'avait encouragé à persévérer en dépit des difficultés, et son élève ne l'avait jamais déçu jusqu'à ce jour. Dire qu'il allait à présent lui demander de renoncer à son rêve…

Sénid s'était levé à l'arrivée de son professeur. Sans un mot, Nolate ouvrit la porte de son bureau et laissa le Viking l'y précéder. À l'invitation du maître d'armes, il prit une chaise face à la table de travail du centaure. Il attendit, immobile, sachant que son maître lui expliquerait rapidement la raison de cette convocation. Nolate devait cependant le faire patienter encore un peu.

— Nous attendons trois personnes, précisa-t-il. Elles seront ici d'un instant à l'autre.

Le centaure invita son élève à lui parler de son entraînement. Sénid résuma ses dernières semaines à l'Académie. Nolate connaissait les progrès du Viking, mais il le laissa raconter à sa manière comment il vivait son apprentissage. Son élève ne tenta à aucune occasion de dissimuler ou de changer les faits. Il reconnut chacune de ses erreurs et commenta ses points forts, sans vantardise ni exagération. Nolate ressentit une certaine fierté. Le Viking était un excellent élément et son aide dans la tâche qu'il se préparait à accomplir serait plus que bienvenue.

L'arrivée de maître Pakir mit fin à l'échange. Twilop l'accompagnait, ainsi qu'une jeune cyclope qui devait dépasser de peu la vingtaine. Nolate évalua rapidement l'inconnue. Grande, avec une silhouette élancée, la cyclope s'habillait en homme – une pratique assez répandue chez ce peuple –, avec un pantalon noir et une chemise blanche à manches courtes. Cette simplicité vestimentaire ne l'empêchait pas d'afficher une grande assurance.

Pakir lança le sort qui empêcherait Lama-Thiva d'épier les occupants de la pièce par des moyens magiques. Il dut s'y prendre à trois reprises tant les éprouvettes tremblaient dans ses mains. Nolate fut peiné pour son maître. Le vieux centaure était perclus d'arthrite et la journée qu'il venait de vivre semblait l'avoir particulièrement éprouvé.

— Voilà ! fit-il enfin après le troisième essai. Nous pourrons parler en toute quiétude.

Ils passèrent aux présentations. Nolate apprit que la cyclope se nommait Aleel. Il la salua, imité par Sénid qui retourna également ses salutations à Twilop. Le Viking eut l'air d'avoir un choc lorsqu'il apprit l'identité du vieux centaure. Il posa un genou au sol et baissa le regard. Pakir lui fit aussitôt signe de se relever. Les marques de déférence l'avaient toujours embarrassé.

— Je te salue, Sénid de Dragonberg. Nolate me dit le plus grand bien de toi.

— Je suis honoré, répondit le Viking en se relevant.

Le magicien expliqua les effets du sort qu'il venait de jeter. Aleel et Sénid parurent surpris d'apprendre que l'incantation visait à cacher leur conversation à la déesse. Nolate avait convoqué le Viking sans lui donner de détails et il se doutait qu'Aleel n'en savait guère plus sur les raisons de leur présence dans ce bureau. Le moment était venu de tout leur dévoiler. Pakir leur fit d'abord valoir l'importance d'éviter toute fuite, en raison de l'importance des confidences. Ils se préparaient ni plus ni moins à conspirer contre leur souveraine.

Le vénérable paraissant à bout de souffle, Nolate prit le relais :

— Maître Pakir et moi avons des révélations à vous faire qui impliquent une remise en question de la gestion du Monde connu. Il nous faut donc vous demander de jurer que vous garderez le secret le plus absolu sur ce que vous allez entendre ici. Si vous estimez le risque trop grand, vous pouvez vous retirer. Nous ne poserons aucune question.

Le silence se prolongea de longues secondes.

— J'ignore la nature de ce que vous voulez nous révéler, lança finalement Aleel, mais je connais l'intégrité morale de maître Pakir. Je sais qu'il n'a que le bien de tous en tête.

— Je reste, se contenta de lancer Sénid.

Nolate sourit.

— Très bien, fit-il. Je ne doute pas de votre loyauté envers la couronne. Cependant, le moment est venu de remettre en question cette fidélité. La déesse a conçu un vaste projet qui englobe l'ensemble du Monde connu. Si elle le met à exécution, tous les peuples seront anéantis.

L'exclamation de surprise que lancèrent simultanément Aleel et Sénid incita maître Pakir à intervenir. Il résuma le projet de Lama visant à changer tout être pensant du Monde connu en hermaphroïde et leur expliqua ce qu'étaient ces créatures. Il annonça que Twilop était la première représentante de cette nouvelle espèce. Lorsqu'il termina son récit, Pakir était tout essoufflé. Nolate sut qu'il devrait assurer la suite et répondre aux questions. Il devrait aussi convaincre les sceptiques.

— C'est impossible ! s'exclama Sénid. Je veux dire : nous sommes trop nombreux. Il lui faudrait créer des milliers de ces créatures pour nous submerger.

— Et nous continuerons à avoir des enfants ! renchérit la cyclope.

— J'ai affiché le même scepticisme lorsqu'elle a commencé ses recherches, reprit Pakir. Je suppose qu'elle va créer une maladie rendant les autres espèces stériles. Elle pourra repeupler le monde à sa convenance dès que notre extinction sera accomplie.

— Ce n'est pas son intention, intervint Twilop.

Nolate se tourna vers l'hermaphroïde, surpris de l'intervention.

— Maîtresse Lama a toujours échoué à me procurer des consœurs, expliqua la création de la déesse. Je suis la seule qu'elle est parvenue à fabriquer à partir de rien, grâce à la seule magie du Pentacle. Les nouvelles hermaphroïdes sont conçues à partir d'une base vivante.

— Une base vivante ?

— Une autre créature, fit Twilop en hochant la tête. L'hermaphroïde née hier a été créée en transformant un centaure.

Twilop comprenait la stupeur de ses vis-à-vis. Pour Aleel et Sénid, il s'agissait d'un élément de plus dans la révélation du plan diabolique de maîtresse Lama. Nolate, lui, découvrait que la déesse avait poussé l'horreur bien plus loin qu'il ne l'eût cru. L'hermaphroïde venait de lui apprendre qu'un membre de son espèce avait subi un sort qu'il ne pouvait que trouver atroce.

— C'est incroyable ! s'exclama l'enseignant. Un compatriote ? Mais comment ?

— Les sujets d'expérimentations ne manquent pas dans les geôles du palais, fit Twilop. Elle y trouve aussi des cobayes des autres espèces. Maîtresse Lama pense réussir à tous vous transformer en trois ans !

Twilop se tut, laissant au groupe le temps de digérer la révélation. Elle jeta un regard désolé à Pakir, qui semblait sur le point de s'effondrer. Lorsqu'il avait évoqué l'idée d'une maladie pour stériliser les autres espèces, l'hermaphroïde avait compris que le vieux sage ignorait tout lui aussi des méthodes de maîtresse Lama. Le magicien s'en trouvait décontenancé, ce qui la consternait. Elle aimait profondément maître Pakir et en aucun cas elle n'aurait voulu le peiner.

— C'est horrible ! s'écria la cyclope, rompant le silence. Nous allons donc disparaître.

— Nous ne pouvons laisser se produire une pareille ignominie, renchérit l'humain. Il faut faire quelque chose !

— C'est la raison pour laquelle maître Pakir et moi souhaitions vous rencontrer, intervint Nolate. Nous avons un plan pour empêcher la déesse d'exécuter son dessein. Ce ne sera pas facile, mais il n'y a aucune autre solution. Il implique une trahison envers la couronne.

Aleel et Sénid se regardèrent, perplexes.

— Il faut éliminer Lama-Thiva, précisa Pakir.

Twilop n'aurait jamais cru que la cyclope et l'humain pouvaient afficher une plus grande stupeur que lorsqu'ils avaient découvert le projet de Lama un peu plus tôt. L'hermaphroïde expliqua comment ils comptaient tuer la déesse en exploitant son unique point faible, la recomposition du Pentacle. L'idée parut perturber particulièrement le Viking.

— Pourquoi ne pas seulement la capturer et l'emprisonner ? suggéra-t-il.

— Ce serait insuffisant, objecta Nolate. Les troupes de la déesse lui resteront fidèles. Aussi longtemps que Lama sera vivante, ils chercheront à la libérer pour récupérer leurs privilèges.

— Même si on leur explique qu'elle veut les transformer en hermaphroïdes ? fit Sénid.

— Elle n'aura qu'à leur mentir, commenta Aleel. Ils la croiront, elle, et pas nous.

— Nous n'avons pas le choix, intervint Pakir. La mort de Lama constitue l'unique moyen de nous assurer qu'elle ne reviendra pas avec ce projet dans quelques années, voire quelques siècles. Ne reportons pas le problème sur les générations à venir.

— Mais… s'inquiéta Aleel. Si la reconstitution du Pentacle tue la déesse, vous mourrez aussi !

— J'ai trouvé une formule qui me libérera des effets du Pentacle, sourit Pakir. Dès que nous aurons les morceaux, je pourrai lancer l'incantation.

— Parce que les morceaux ne sont pas en votre possession ? s'étonna le Viking.

— Ils sont répartis dans le monde, avoua le magicien. Je les ai fait disperser moi-même. Il est ironique que je n'aie découvert cette particularité qu'après cette dispersion.

— Maître Pakir m'a demandé de récupérer les morceaux, intervint Nolate. Ce sera un dur voyage et, sans aide, il sera encore plus difficile.

Nolate laissa sa dernière phrase en suspens et Twilop se demanda qui, de la cyclope ou de l'humain, tirerait le premier la conclusion évidente.

— C'était donc cela, le voyage dont vous me parliez ? interrogea la cyclope, tournée vers le vieux sage.

— Vous souhaitez que nous accompagnions maître Nolate à la recherche des morceaux de Pentacle ? compléta Sénid.

Pakir approuva d'un hochement de tête.

— Le monde est vaste, objecta le Viking. Où se trouvent ces morceaux ?

— L'un d'eux sera facile à récupérer, expliqua Nolate. Il fait partie de l'héritage de ma famille.

— Quant aux autres, fit Twilop, il y en a un au Nord, dans la cité viking abandonnée d'Hypérion, un à l'Ouest, chez les cyclopes, et un autre à l'Est. Celui-là avait été confié au peuple des versevs. Je possède le don de détecter la proximité du Pentacle. Je sentirai la présence de chaque morceau.

— Pourquoi vous engagez-vous dans cette entreprise ? demanda la cyclope. Après tout, si la déesse réalise son plan, vous ne serez plus la seule de votre espèce.

— Il serait même de votre intérêt de l'aider, renchérit le Viking.

— Je suis un prototype, expliqua Twilop. Un coup d'essai. Les prochaines hermaphroïdes seront plus fortes, pleines de vitalité. Maîtresse Lama n'a plus besoin de moi et je ne l'imagine pas garder un être qui lui rappelle les échecs de ses premières expériences. Comme vous le voyez, je suis aussi menacée que vous tous.

— Twilop est des nôtres, intervint Pakir. Je me suis chargé personnellement de son éducation.

— Si vous la jugez digne de confiance, fit Aleel, je suis prête à avoir foi en elle, moi aussi. Mais vous n'avez parlé que de quatre des morceaux. Qu'en est-il du cinquième ?

Twilop détourna son regard de la cyclope, dont l'œil se fixait sur elle d'une manière inquisitrice. Pakir et elle avaient réfléchi à ce qu'ils devraient dire pour convaincre la cyclope et l'humain de se joindre à la mission. L'her-maphroïde avait suggéré de cacher le fait que la déesse possédait un des morceaux, mais Pakir préférait qu'ils se montrent les plus francs possibles avec ceux dont il voulait se faire des alliés. La sagesse du vénérable cen-taure avait emporté son adhésion sans qu'il ait à insister davantage.

— Lama le détient, avoua-t-elle finalement.

— Elle possède un des morceaux ? s'étonna la cyclope.

— Ce sera délicat, j'en conviens, commenta Pakir. Il faudra fouiller le palais et déjouer sa surveillance. Je vous aiderai dans la mesure de mes moyens.

— Il y a autre chose, ajouta Nolate. Nous allons éga-lement présenter Twilop aux autorités des différents peuples pour leur faire prendre conscience de la menace. Notre objectif sera de les convaincre de partir en guerre contre les forces du Pentacle.

— Parce que vous voulez en plus lancer une révolu-tion ? s'estomaqua le Viking. Cela n'a jamais marché par le passé.

— La mort de Lama créera une vacance au sein du pouvoir, expliqua Aleel. Une alliance sera nécessaire pour assurer la transition vers une nouvelle forme de gouvernement.

— Naturellement, nous n'exigeons pas une réponse immédiate, fit Nolate. Nous voulons que vous réflé-chissiez sérieusement à notre proposition. Seulement, le temps presse.

— Prenez le reste de la journée pour réfléchir, ajouta Pakir. Je vous demande cependant de garder à l'esprit que, si nous ne faisons rien, nous allons tous disparaître.

Twilop regarda attentivement la cyclope et l'humain. Ils étaient de toute évidence ébranlés. Alors qu'ils quit-taient la pièce en la laissant seule avec les centaures, l'hermaphroïde se demanda s'ils allaient choisir de partir avec eux en mission. Elle ne pouvait que l'espérer. Mais Nolate et elle partiraient, même s'ils étaient seuls, pour l'avenir du Monde connu. Et pour le sien aussi.

CHAPITRE TROIS

L ama examina une nouvelle fois l'hermaphroïde qui avait autrefois été un centaure.
— Voilà, annonça-t-elle. Elle est en pleine forme. Comme vous le constatez, Nossanac est déjà adulte, alors qu'elle n'a que deux jours d'existence.

Les deux géants semblaient fort impressionnés. C'était précisément là le but de la présentation. Six mois plus tôt, lors de sa dernière visite officielle, Lama avait confié ses intentions au grand chef des colosses. Elle l'avait persuadé que cette métamorphose deviendrait le salut de son espèce, puisque les hermaphroïdes auraient une espérance de vie d'un siècle environ. L'argument avait porté, étant donné que les géants ne vivaient qu'une quarantaine d'années tout au plus. Le grand chef avait certifié que son peuple se soumettrait à la transformation, mais il voulait une preuve de réussite auparavant. C'était la raison pour laquelle la déesse avait retenu les délégués arrivés plus tôt pour s'opposer aux versevs. Ils étaient aussi venus pour ça.

Et la démonstration serait complète, puisque l'un d'eux serait de la prochaine expérience et que l'autre suivrait le déroulement du processus avant de rentrer à Ênerf annoncer le succès de Lama. Elle ne comptait pas les décevoir. Les géants l'avaient toujours servie fidèlement. Leur loyauté ferait d'eux des hermaphroïdes modèles.

Le chef des géants avait chargé ses guerriers de trouver des sujets d'expérimentation pour leur déesse. Le centaure devenu hermaphroïde était un prisonnier, tout comme l'humain qu'elle comptait éveiller sous peu. En revanche, le cyclope qui se métamorphosait dans une cosse était un pêcheur capturé au large de l'île Majeure par les géants.

Il ne restait que les versevs qui résistaient à la transformation. Après de multiples essais, Lama avait compris que les êtres végétaux ne pouvaient devenir des hermaphroïdes, en raison de leur nature. Elle comptait bien trouver un autre moyen de faire disparaître cette espèce qui, par sa seule existence, empêchait son rêve d'uniformité de voir le jour. Pas question de tolérer la moindre imperfection dans son nouveau monde.

— Nossanac, va chercher la table et le coffret.

La remplaçante de Twilop se rendit dans un coin de la salle, où l'attendaient les objets demandés. Lama rayonnait de fierté. L'hermaphroïde avait obéi sur-le-champ, sans hésitation ni discussion. En la créant, la magicienne lui avait laissé ses réflexes acquis, tout en la privant de la plus petite émotion. Une autre amélioration par rapport à Twilop. Sans émotions, aucune indépendance d'esprit, aucune pensée de rébellion.

— Vous me garantissez que ça ne fait pas mal ? s'informa la géante.

— Je te certifie que le procédé est totalement indolore, Natit. Nous pouvons commencer.

Encore un peu hésitante, la géante avança dans la caverne. Elle jetait des regards nerveux vers les cosses. Lama suivit sa cobaye, accompagnée de sa nouvelle hermaphroïde et de l'autre géant venu assister à l'expérience. Ils longèrent la dizaine de cosses alignées dans la première rangée. Elles renfermaient des humains qu'elle comptait transformer dans les mois à venir. Lama leur jetterait un coup d'œil une fois la géante en place.

— Nous y voilà.

Natit s'arrêta devant une cosse aux feuilles béantes. Elle se tourna vers Lama qui devina la peur dans son regard. La magicienne lui décocha un sourire qui se voulait rassurant. Nossanac plaça la table pliante près de la cosse. Lama lui tendit le coffret. La magicienne en ouvrit le couvercle et prit le morceau du Pentacle, qu'elle posa sur la table. Elle mit sa main au-dessus et ferma les yeux.

— *Edualc u ædan*, lança-t-elle simplement.

Une lueur émana de l'éclat du Pentacle, provoquant un léger picotement dans les doigts de la magicienne. Elle tendit l'autre main vers le front de la géante. Cette dernière ferma à demi les paupières, tandis que ses épaules s'affaissaient. Lama abaissa la main, satisfaite. L'effet de sédation durerait plusieurs minutes.

— Déshabille-toi et entre dans la cosse, ordonna-t-elle.

Natit obtempéra. Sans prêter attention à la présence de témoins, dont son compatriote, elle se dénuda. L'air frais de la caverne lui donna la chair de poule, mais elle n'eut aucun réflexe montrant qu'elle s'en trouvait affectée. Elle marcha d'un pas légèrement traînant vers la cosse et en enjamba le rebord. Conformément aux instructions de Lama, Natit s'allongea dans le cocon. Aussitôt, les feuilles se refermèrent. Il y eut un léger frémissement, alors que les replis se resserraient sur la géante. Elle poussa un gémissement étouffé.

Lama vit le géant faire un pas en avant.

— Tout va bien, fit-elle d'un ton rassurant. Le processus est en route.

— Combien de temps faudra-t-il avant la transformation complète ?

— Environ un mois… Tu peux récupérer les effets personnels de ton amie. Je vais prononcer les incantations.

Le géant ramassa les vêtements de sa compatriote. Il se tourna vers la cosse, qui avait déjà commencé à durcir. Sans un mot, le colosse marcha vers la sortie. Lama le regarda quitter la caverne, puis se tourna vers la cosse. Natit lui permettrait d'achever ses expériences sur les espèces intelligentes peuplant le Monde connu. Elle tenterait ensuite de changer un être vivant en hermaphroïde sans un cocon préexistant, afin de faire naître des centaines d'hermaphroïdes à la fois.

Il lui fallait aussi régler définitivement le cas des versevs.

— *Ena ma galik Nitram. Ena ma galik Nitram…*

★★★

Somme toute, Elbare appréciait sa visite à Capitalia, en dépit de la décision défavorable de Lama-Thiva à leur endroit dans le conflit qui les opposait aux géants. Nipas avait recouvré son calme, anticipant sans doute avec joie leur retour prochain en Versevie. Ils avaient réservé leur place dans une caravane qui partait le lendemain.

En attendant, Nipas et Salil tenaient leur promesse faite à Elbare de lui faire visiter Capitalia. Remis de sa déception de la veille, le jeune versev s'extasiait sur ce qu'il n'avait pas eu le cœur d'observer la veille. Tout était si différent de ce qu'il connaissait ! En Versevie, il n'y avait pas d'habitations. Les versevs aimaient se déplacer dans la forêt pour rencontrer leurs voisins. Souvent, ils s'installaient sur la rive d'un ruisseau pour y tremper leurs orteils racines et lézarder au soleil en se nourrissant des nutriments charriés par le cours d'eau. Rien de tout ça n'était possible ici. Comment des êtres pensants pouvaient-ils accepter de vivre entassés de la sorte ?

— Alors, Elbare, lança Salil. Ça te plaît ?

— Oui, répondit l'interpellé. Je suis bien content de vous avoir accompagnés.

— C'est spectaculaire, concéda Nipas, mais j'ai hâte de rentrer.

Elbare partageait cet avis. La vie dans une ville lui paraissait trop trépidante et, même si ses occupations l'y ramenaient à l'occasion, jamais il ne s'y installerait, que ce soit à Capitalia ou dans une autre ville du Monde connu, Elbare préférerait toujours la Versevie, il en avait la conviction. Il faisait trop bon y vivre.

— Halte !

Les trois versevs se retournèrent. Elbare fut surpris de constater que l'ordre venait d'une dizaine de soldats humains. En regardant autour de lui, il ne vit aucun autre civil à proximité. Les soldats du Pentacle en avaient donc après eux. Le commandant du détachement, un homme ventripotent, fit un pas en avant. Il croisa les bras en affichant toute l'arrogance d'une personne imbue de sa position.

— Lequel d'entre vous est le versev Nipas ? s'informa-t-il.

Surpris, l'interpellé redressa la tête.

— C'est moi.

L'officier fit un geste de la main et trois soldats se détachèrent du groupe. L'un d'eux donna à son chef un tube en bambou d'une trentaine de centimètres de long pendant que les deux autres prenaient place de part et d'autre des versevs. Le commandant défit l'embout du tube et en retira un parchemin qu'il déroula.

— Par ordre de la bienveillante déesse-reine, proclama-t-il, le versev Nipas est en état d'arrestation pour propos séditieux. Le versev Nipas est accusé de mettre en doute la sagesse et la générosité de la déesse envers tous ses sujets.

Le commandant roula le parchemin. Elbare était trop abasourdi pour réagir. Il se rappelait les commentaires de son compatriote, au palais, après la rencontre avec les géants. Les quelques remarques de Nipas avaient été lancées sous le coup de la colère. La déesse ne pouvait en vouloir au versev d'avoir affiché quelques secondes sa déception.

— Allons, fit Elbare, se voulant conciliant. Il n'a pas réfléchi et je suis sûr qu'il ne pensait pas ce qu'il a dit.

— Faut-il que l'on t'arrête aussi ? demanda l'officier. Nul n'a le droit de remettre en question la perfection de notre souveraine. Elle a tellement vécu que ses paroles ne sont que vérités.

— Mais…

— Ça ira, Elbare, fit Salil. Tu ne peux rien faire pour le moment. Cet excellent officier ne fait qu'exécuter les ordres reçus.

— Voilà des paroles de sagesse, lança le commandant. Tu ferais mieux d'écouter ton compatriote.

Il se tourna vers ses soldats et leur fit signe d'emmener leur prisonnier. Nipas suivit son escorte sans résister. Les deux hommes poussèrent néanmoins le versev, qui trébucha. La patrouille réagit à cette perte d'équilibre en encerclant le captif. Elbare vit même un soldat donner un coup de pied dans le ventre de Nipas. S'il avait été humain, son ami aurait eu le souffle coupé. Les soldats relevèrent brutalement leur captif.

— Ne recommence jamais ça ou il t'en cuira ! cria le commandant. Il vaut mieux pour toi nous accompagner sans résister.

Un soldat prit une corde et lia les mains de Nipas. Ainsi entravé, il ne pouvait que suivre les gardes. La troupe s'éloigna d'un pas rapide que le versev eut de la difficulté à soutenir. Il ne tomba cependant pas, du moins tant qu'Elbare put le suivre des yeux. Lorsque Salil et lui se retrouvèrent seuls, le jeune versev se tourna vers son compatriote.

— Qu'allons-nous faire, à présent ? Nous ne pouvons pas abandonner Nipas à son sort.

— Bien sûr que non, rétorqua Salil. Je vais en référer à l'ambassade afin que nos diplomates se chargent de dissiper le malentendu. Quand ce sera fait, je ramènerai Nipas en Versevie.

— Mais nous devions partir demain, rappela Elbare.

— Il faudra plus de temps que ça pour obtenir la libération de Nipas.

— Je le sais bien… Dis-moi ce que je peux faire, mon aide t'est acquise.

Salil ne répondit pas tout de suite.

— Il vaut mieux que tu rentres, dit-il. Tu pourras prévenir les nôtres de l'arrestation. Il faut aussi rapporter la décision de Lama concernant la tarification.

Elbare se rendit à cet argument. De toute façon, en raison de sa jeunesse et de son inexpérience des affaires juridiques, il serait de peu d'utilité pour obtenir la libération de Nipas. L'idée de voyager seul pour rentrer l'effrayait un peu, mais il saurait se débrouiller. Le sort de son compagnon l'inquiétait bien davantage.

✪ ✪ ✪

Depuis qu'elle vivait à Capitalia, Aleel avait visité tous les coins de la ville, dont elle appréciait la beauté. Au palais, elle aimait particulièrement le balcon situé à mi-hauteur de l'édifice, qui permettait d'admirer une grande partie de la capitale. La jeune cyclope s'y rendait souvent, lorsque maître Pakir l'invitait pour discuter avec elle ou l'instruire. Elle aimait surtout s'y retrouver au crépuscule pour contempler le coucher de soleil.

Cette fois encore, le spectacle était à couper le souffle. Le soleil touchait presque l'horizon, au-delà du lac Capitalia, nimbant le ciel de teintes de rouge et faisant paraître rosée l'eau scintillante. Un navire voguait vers le sud, fendant les eaux calmes de cette journée sans vents. Le bâtiment passa devant le chemin de lumière que créait le soleil à la surface du vaste plan d'eau. Il provoqua quelques rides qui troublèrent un temps la surface, puis le lac recouvra son aspect de miroir géant. C'était l'un des plus beaux couchers de soleil qu'Aleel avait eu l'occasion d'admirer à Capitalia.

Pourtant, elle remarquait à peine le spectacle grandiose, tant les révélations de maître Pakir accaparaient son esprit. La mission que lui proposaient les centaures était dangereuse et elle hésitait. Il y avait évidemment les risques du voyage lui-même, qui les mènerait dans des contrées inconnues où ils affronteraient des périls souvent mortels. De plus, s'ils échouaient, elle serait condamnée comme les autres pour trahison.

L'autre option, celle de rester impassible face à la disparition planifiée de son peuple, était cependant intolérable. La menace d'extinction pesait sur toutes les espèces pensantes du Monde connu ; il y avait donc plus que l'avenir des cyclopes en jeu. Aleel imagina un moment le monde habité par des créatures semblables à cette Twilop. Elle frissonna. Comment la déesse-reine avait-elle pu imaginer un pareil cauchemar ? Il n'y avait pas de doute, il fallait empêcher cela. Mais de là à adopter sans réserve la solution des centaures, il y avait un pas délicat à franchir.

Les cyclopes appréciaient plus ou moins la présence de Lama-Thiva sur un trône suprême qui réduisait la puissance de leur propre monarchie. Il y avait tout de même une différence entre détester la déesse-reine et fomenter une révolution pour lui ôter le pouvoir. C'était plus grave encore, puisqu'il s'agissait de la tuer ; ce serait là la conséquence imparable de la reconstitution du Pentacle.

— Magnifique point de vue, n'est-ce pas ?

Aleel ne sursauta pas. Elle avait reconnu la voix du Viking Sénid.

— C'est vrai, fit-elle. D'habitude, le spectacle me réconforte.

— Mais pas aujourd'hui. Je comprends pourquoi. La décision n'est pas facile à prendre.

— Elle devrait l'être, pourtant. Il faut agir, sinon nous serons la dernière génération de nos espèces respectives. Je crois bien que je vais partir avec Nolate.

Sénid ne répondit pas tout de suite.

— Comment serait notre vie, si nous étions comme Twilop ? demanda-t-il enfin.

— Je m'efforçais justement de l'imaginer, répliqua Aleel. Ce serait cauchemardesque.

— Réellement ? Certaines choses sont immuables. Il faudrait continuer à cohabiter, à enseigner aux générations suivantes et à commercer pour transporter les vivres et les biens d'un bout à l'autre du monde. Même ces spectaculaires couchers de soleil seraient toujours là.

Aleel se tourna vers son interlocuteur.

— On dirait presque que vous admirez Lama-Thiva ! s'étonna-t-elle. Nos peuples vivent sous sa coupe depuis des générations et il ne reste que quelques écrits pour nous apprendre comment était le monde sans elle. À présent, régir nos existences ne lui suffit plus, elle veut forger chacun de nous à sa convenance.

— Rassurez-vous, fit l'humain. Je n'ai pas l'intention d'imposer une pareille épreuve aux miens. Mais j'ai gagné Capitalia pour devenir soldat de la garde du Pentacle. Si je pars, je devrai renoncer à ce rêve. Si je reste, j'aurai l'impression de trahir mon peuple.

— Cette dernière raison m'impose de partir avec Nolate, se décida Aleel. Ma décision est prise.

— J'hésite encore, rétorqua le Viking. Il faut arrêter Lama-Thiva, mais le monde sans la déesse, livré à lui-même...

Aleel comprenait le dilemme. Elle songea à argumenter pour persuader l'humain de se joindre à la mission. Si les centaures avaient choisi de lui confier le secret, c'était parce qu'ils le savaient courageux et compétent. Ce qu'Aleel connaissait des Vikings l'incitait à croire que le jeune homme serait un atout important dans une telle mission. Le séjour de Sénid à l'Académie militaire de la garde du Pentacle serait aussi un avantage. Elle refusait pourtant de faire pression sur lui. Mieux valait le laisser décider par lui-même.

Là, en bas, dans les rues de Capitalia, les citadins poursuivaient leurs activités, sans se douter de la menace qui pesait sur eux. Il y avait des commerçants aux échoppes offrant des produits venant de tous les coins du Monde connu. Les gens achetaient, vendaient, déambulaient, vivaient, en somme. Plus loin, la foule s'écartait pour faire place à un groupe de soldats traînant un prisonnier. Ils se montraient plutôt brutaux avec ce dernier.

— En voilà un qui servira peut-être aux expériences de la déesse, commenta le Viking. Je me demande qui il est et ce qu'il a pu faire.

Aleel fronça le sourcil, ce qui activa une capacité exclusive à son espèce. Le groupe parut se rapprocher, comme si elle le regardait à travers une puissante loupe. Ce don, certains cyclopes y voyaient un cadeau de leur dieu, le Grand Œil, destiné à compenser le handicap que constituait leur œil unique. Les cyclopes en parlaient peu, conscients de l'avantage qu'il leur procurait.

Elle identifia l'espèce à laquelle appartenait le captif.

— C'est un versev, fit-elle, surprise.

Ils observèrent un moment les soldats et leur prisonnier. Quel délit ce versev avait-il commis pour se retrouver traîné ainsi en public ? À la suite d'une poussée d'un des soldats, le prisonnier tomba lourdement sur le sol. Aleel fut estomaquée en réalisant que le soldat qui tenait la corde continuait de son pas martial et traînait le prisonnier sur plusieurs mètres avant de s'arrêter enfin. Comme il avait les mains liées, le versev eut toutes les peines du monde à se relever, d'autant plus que les soldats, loin de l'aider, lui donnèrent quelques coups de pied.

Tout près d'elle, Sénid manifestait sa colère et son impuissance en serrant les poings.

— Je vais accompagner maître Nolate, moi aussi, lança-t-il.

Aleel sourit.

— Allons annoncer notre décision à nos mentors, dit-elle.

Sénid approuva de la tête.

★ ★ ★

Encore une fois, Sénid se trouvait dans le bureau de Nolate, en compagnie d'Aleel, de Twilop et des centaures. Le Viking regarda Pakir-Skal lancer l'incantation magique qui empêcherait Lama-Thiva de les espionner, une précaution plus importante que jamais. Cette fois, ils n'allaient pas seulement envisager une action contre la déesse-reine, ils mettraient leur plan au point.

Une fois l'incantation prononcée, le vieux centaure s'étendit sur un fauteuil d'aspect étrange. Le meuble ressemblait à une causeuse dépourvue de bras et au dossier surélevé. Pakir se coucha sur le ventre, ce qui fit reposer ses pattes, et posa son torse contre le dossier. Il ferma les yeux. Sa respiration sifflante trahissait sa souffrance. Sénid compatit à la douleur du vénérable centaure. L'idée qu'il vivait ainsi depuis huit siècles le fit frissonner.

Nolate regarda son mentor avant de se tourner vers son équipe.

— À présent que nous avons décidé d'agir, commença-t-il, il faut dresser l'itinéraire de notre expédition. Maître Pakir m'a confié le commandement de cette mission, mais l'expertise de chacun ne sera pas de trop pour venir à bout d'une tâche aussi délicate. Aussi, n'hésitez pas à intervenir !

La cyclope et Sénid se regardèrent en silence.

— N'avez-vous pas dit que l'un des éclats se trouvait dans votre famille ? demanda enfin Aleel.

— Il fait en effet partie de notre héritage, confirma Nolate. J'ai précisément pensé commencer par celui-là.

— Si vous permettez, maître, je ne suis pas d'accord, intervint Sénid. Il faut d'abord trouver le morceau qui se trouve à Hypérion. Toute autre destination risquerait de nous faire perdre plusieurs mois.

— Pourquoi cela ? s'enquit Aleel. Il faudra sans doute passer un certain temps à fouiller dans chaque région, de toute façon. La déesse finira par découvrir que nous tramons quelque chose et elle enverra ses troupes à notre recherche.

— Raison de plus pour commencer par Saleur, dit Nolate. Il est prévu que Twilop me suive au Sud, ce qui nous permettra de garder le secret sur notre mission plus longtemps que si nous commençons par une autre région.

— Je vous concède que cela constituerait un avantage, fit Sénid. Je maintiens néanmoins que commencer par le Nord nous ferait perdre moins de temps. C'est une question de climat.

— De climat ?

Nolate ne cachait pas son étonnement.

— La température à Hypérion est glaciale l'hiver, expliqua le Viking. Les nuits deviennent extrêmement courtes et le soleil ne se lève pas pendant près d'un mois. Si nous récupérons les autres morceaux et que nous arrivons au Nord en fin d'automne...

— La température risque de vous arrêter et de permettre aux troupes de Lama de vous rattraper, intervint Pakir-Skal.

Tous se tournèrent vers le vieux sage.

— Notre ami viking a raison, poursuivit Pakir. Vous devez commencer par le Nord.

— Vous avez raison, maître. Malheureusement, cela élimine la diversion qui nous aurait fait gagner du temps.

— Pas nécessairement, objecta Twilop.

Les regards se portèrent sur l'hermaphroïde.

— Nous n'avons qu'à partir vers le Sud comme prévu et à prendre la vieille route du Nord de l'autre côté des monts Centraux. Le détour nous fera perdre plusieurs jours, mais il nous procurera un alibi qui trompera maîtresse Lama, du moins pendant un temps.

La vieille route du Nord ? Sénid réfléchit à la suggestion de l'hermaphroïde. Ayant étudié l'histoire de son peuple, le Viking connaissait l'ancienne route qui menait à Thorhammer. Elle longeait le pied des monts Centraux, du côté est, ce qui l'abritait des pluies diluviennes qui frappaient toujours le versant occidental. Mais Lama-Thiva l'avait fait condamner après la construction du Grand Canal qui reliait le lac Diorf et Capitalia. Après tous ces siècles, Sénid doutait que la vieille route soit aisément praticable.

— C'est une idée, commenta-t-il finalement. Le passage risque d'être difficile, surtout dans la région des monts Yétis, mais cette route a aussi ses avantages. La déesse ne s'attendra pas à ça.

— Dans ce cas, décida Nolate, nous emprunterons cette route. J'ai réservé une place dans une caravane qui doit nous mener à Saleur, Twilop et moi. Il faudra que vous trouviez un passage dans cette même caravane. Faites vos démarches séparément, pour écarter les soupçons.

— Le chef de cette caravane trouvera étrange que nous changions de destination en cours de route, objecta Aleel.

— Rassurez-vous, lança Nolate. Je connais bien Essena, la centauresse qui dirige la caravane. En fait, je dois la rencontrer cet après-midi et je compte régler avec elle les détails de notre voyage. Voyez-vous autre chose, maître Pakir ?

Le vieux centaure redressa péniblement le torse.

— Une seule chose : vous devez faire vos bagages en fonction d'un voyage vers le Sud, lança-t-il. Vous attireriez la suspicion sur vous en emportant du matériel destiné à une expédition nordique.

— Je demanderai à Essena de nous fournir le reste du matériel nécessaire, compléta Nolate. S'il n'y a rien d'autre, je vais aller préparer mes affaires et je vous suggère de faire de même. La caravane quitte Capitalia demain en matinée.

Maître Nolate se retourna vers la porte, mais Pakir-Skal avait encore quelque chose à dire.

— Je n'ai pas besoin de vous rappeler l'importance de votre mission, fit-il, ni les risques que vous courrez. Si vous unissez vos forces, vous saurez résoudre les problèmes qui ne manqueront pas de survenir en cours de route. Je vous souhaite la meilleure des chances possible.

Le vieux sage se leva de son fauteuil et se dirigea vers la porte. Twilop l'accompagna, le laissant s'appuyer sur elle pour se déplacer. Aleel sortit ensuite. Sénid attendit deux minutes avant d'en faire autant pour écarter les soupçons d'éventuels espions. Il retourna à la caserne afin de préparer son paquetage. Les autres recrues à l'entraînement croiraient peut-être qu'il renonçait à entrer dans la garde du Pentacle. S'ensuivraient des railleries, que le Viking accepterait sans se rebiffer, sachant qu'il se préparait à faire quelque chose de bien plus important.

N'empêche, Sénid n'aurait jamais cru devoir un jour sauver le monde.

CHAPITRE QUATRE

Une vingtaine de mules et mulets attendaient en rangs devant les écuries, la moitié attelés à des chariots. Parfois, une bête renâclait et un serviteur s'avançait pour la calmer. Nolate observait la scène en cherchant sa vieille amie Essena parmi les muletiers. Il la repéra bientôt. Elle était en compagnie de deux autres centaures, vers le milieu de l'alignement de mulets. Il la rejoignit en quelques pas.

— Ah Nolate ! s'écria la centauresse en le reconnaissant. Nous sommes presque parés pour le départ… Hé là ! Surveillez mieux ce mulet, il est en train de se défaire de ses bagages !

Nolate reconnaissait bien là son amie d'enfance. La caravane ne partirait pas avant deux heures au bas mot et déjà elle inspectait bêtes et paquetages. Essena devait s'affairer ainsi depuis l'aube et même depuis un peu plus tôt. Sa minutie dans la préparation d'une caravane faisait le cauchemar des muletiers et des portefaix. En même temps, elle assurait la sécurité des voyageurs, si bien que les caravanes d'Essena étaient prisées. Elles prenaient rarement du retard et les pillards y réfléchissaient à deux fois avant d'en attaquer une.

Les soldats du Pentacle chargés d'escorter le groupe portaient peu d'intérêts aux préparatifs. De leur point de vue, leur tâche était peu glorieuse ; ils se trouvaient sans doute là à la suite de sanctions. Ils ne disposaient pas de chevaux, ces montures étant réservées à l'élite pour les défilés devant la déesse.

Déjà, les premiers voyageurs se présentaient pour s'assurer les meilleures places dans les chariots. Des gens se pressaient autour des arrivants, cherchant à se joindre à la caravane à la dernière minute. Peu y parviendraient. La plupart se résigneraient à prendre un passage dans une autre caravane, alors que ceux qui voulaient partir sans attendre opteraient pour les places à pied, en compagnie des voyageurs moins fortunés.

— Je savais que je te trouverais ici, Essie.

— Évidemment, répliqua-t-elle. Sans ma supervision, rien ne serait fait correctement.

Elle avait laissé glisser le surnom sans émettre de commentaire. Nolate savait que personne d'autre n'aurait osé s'adresser à elle aussi familièrement. Non pas que la centauresse se montrât hautaine avec autrui, mais sa réputation intimidait les gens. Pour Nolate, il en allait autrement. Il connaissait Essena depuis aussi loin que remontaient ses souvenirs. Ils s'étaient même fréquentés quelque temps, sans franchir le pas. Leurs caractères différaient trop et ils avaient convenu qu'il valait mieux pour eux n'être que des amis.

Nolate se demanda un moment ce qu'aurait été sa vie s'il avait épousé Essena. Ils auraient sans doute des enfants, à présent, et vivraient quelque part à Saleur. Lui ne serait jamais venu à Capitalia et il n'aurait pas reçu l'enseignement de Pakir. Ou, si tel avait été le cas, avec une famille à sa charge, il aurait vraisemblablement refusé la mission.

Nolate s'assura que personne ne se trouvait à proximité.

— Je voulais te parler de notre petite affaire, dit-il à voix basse.

— Toujours décidé, à ce que je vois ? interrogea Essena sur le même ton de confidence. Ce voyage semble très important pour toi.

— Plus que je ne peux te le dire, répondit Nolate.

Il lui avait expliqué qu'il devait quitter la caravane en cours de route pour entreprendre un voyage qui devait rester secret. Le centaure aurait aimé en dire plus à son amie, car le service qu'il lui demandait l'obligerait à prendre certains risques. Nolate savait pourtant qu'il valait mieux que la centauresse en sache aussi peu que possible. Quand la disparition de Twilop serait découverte, Lama exigerait une explication. Essena devrait alors répondre à certaines questions.

— Très bien, acquiesça-t-elle. J'ignore dans quelle folle entreprise tu t'es lancé, mais tu auras le nécessaire.

— Merci de ta confiance. Je regrette de ne pouvoir en dire plus. Si ça peut te rassurer, sache que ma mission est d'une importance vitale pour notre avenir à tous.

— À ce point ? Très bien. Ton amie…

Elle s'interrompit, pendant qu'un soldat du Pentacle passait près d'eux.

— Ton colis est en sécurité, lança Essena d'une voix un peu plus forte. Il se rendra à Saleur sans subir de dommage. Nos soldats de la garde sont braves et vaillants. Ils sauront repousser une éventuelle attaque de pillards.

Essena se déplaça jusqu'au mulet suivant et vérifia la solidité d'une sangle. Le soldat ne leur accorda que peu d'attention avant de chercher ailleurs si sa présence était requise. La centauresse avait adroitement flatté l'ego du militaire afin d'éviter qu'il ne s'intéresse à leur conversation. Elle attendit que le soldat se soit éloigné avant de se tourner vers Nolate.

— Ton amie albinos pourra quitter la caravane sans être remarquée, reprit-elle d'une voix un peu plus basse.

Nolate avait expliqué ainsi la couleur de peau de Twilop. Son amie l'avait regardé avec un certain scepticisme, sans toutefois chercher à en savoir plus. Nolate avait apprécié cette marque de confiance, mais il détestait faire des cachotteries à Essena. Il avait l'impression de trahir son amitié.

— Qu'as-tu prévu ? demanda-t-il. Il faut que tous, y compris les soldats du Pentacle, ignorent notre départ.

— Ne t'inquiète pas, répondit Essena. J'ai prévu une diversion pour faire croire à sa présence dans la caravane aussi longtemps que possible. Vois-tu cette jeune humaine, là-bas ?

Elle lui désigna une adolescente aux cheveux blonds, qui attendait dans un coin.

— Ton amie portera un voile pendant les premiers jours du voyage, ajouta Essena. Elle pourrait le justifier en expliquant que le soleil abîme sa peau. Lorsque vous partirez, la jeune fille prendra le voile et le portera à son tour. À moins d'imprévu, il faudra un certain temps avant que la supercherie soit découverte.

— Tu as pensé à tout, semble-t-il.

— Tu ne crois pas si bien dire, fit la centauresse en souriant. Tu auras même une mule pour le transport de tes bagages. Je crois que tu m'as dit que vous seriez plus de deux ?

Nolate hésita.

— En effet.

— D'accord. Ça non plus, tu ne veux pas que je le sache. Il faudra au moins me dire à quel endroit vous comptez quitter la caravane.

— À la sortie est du col de l'Armistice, révéla Nolate. Près d'un petit ruisseau.

Le centaure avait étudié les cartes avec ses compagnons de voyage. Ils avaient rapidement écarté l'idée de quitter la caravane à l'intersection de la vieille route du Nord. Une étude approfondie des parchemins leur avait montré que la jonction des deux routes se trouvait dans un endroit dégagé. Il leur fallait au contraire une place pour se cacher, le temps que la caravane soit hors de vue.

— Hum ! fit Essena. Je vois où ça se trouve. La zone est parsemée de rochers derrière lesquels vous pourriez rester cachés. En fait, je l'aurais suggéré, si tu m'avais proposé un autre choix. Mes caravanes y font toujours une halte. Il vous faudra cependant marcher derrière nous sans nous rattraper pendant quelques kilomètres.

— Nous attendrons la nuit avant de repartir, conclut le centaure.

— Excellent… Nous partons dans une heure.

Nolate laissa Essena poursuivre son inspection et retourna vers le groupe des voyageurs. Il chercha discrètement Aleel et Sénid dans la foule. Le centaure ne vit d'abord ni l'un ni l'autre. Il finit par remarquer le Viking parmi les gens qui cherchaient à obtenir un droit de passage. La cyclope restait hors de sa vue, ce qui l'inquiéta un moment. Peut-être avait-elle finalement changé d'avis. Nolate l'aperçut enfin, de l'autre côté de la caravane. Il retint un soupir de soulagement. Il ignorait ce qu'il aurait fait si l'un ou l'autre avait manqué à l'appel.

Il était temps d'aller chercher Twilop.

★ ★ ★

— Je regrette, répondit la militaire. Maîtresse Essena n'a pas le temps de vous recevoir.

Elbare avait questionné plusieurs personnes avant d'arriver à cette officière. Depuis l'aube, il tentait de parler à la personne qui dirigeait la caravane. Un premier centaure l'avait envoyé à un second, qui l'avait orienté vers un humain assez âgé. Ce dernier lui avait suggéré de s'adresser à un soldat du Pentacle, qui pourrait peut-être attirer l'attention de la centauresse, laquelle était toujours fort occupée avant le départ d'une de ses caravanes.

— Vous êtes certaine qu'il n'y a rien à faire ? demanda le versev.

— Il faudrait que ce soit une question fort importante pour que j'ose la déranger, répliqua l'officière. Exposez-moi quand même votre problème, je peux peut-être vous aider.

Elbare hésita. Son dernier contact avec les soldats du Pentacle n'avait pas été des plus heureux. Cependant, cette officière n'avait montré aucun signe de mépris en réalisant que son vis-à-vis était un versev. Les soldats n'étaient donc pas tous comme ces brutes qu'il avait découvertes lors de l'arrestation de Nipas. Pourtant, il perdrait sans doute son temps à lui expliquer son problème. L'officière l'enverrait devant une autre personne, comme l'avaient fait les centaures et l'humain.

— La question n'est pas d'un intérêt vital, commença-t-il. Seulement, je suis venu de Versevie avec deux compatriotes et nous avons payé trois passages, retour compris. Comme vous le voyez, je rentre seul et j'aurais aimé me faire rembourser les frais payés en trop.

La militaire sourit.

— Maîtresse Essena n'aura effectivement pas le temps de vous voir pour un remboursement, confirma-t-elle. Je peux toutefois vous donner un conseil : plusieurs personnes cherchent à intégrer la caravane. Vous pourrez certainement vendre vos droits de passage.

— Vous croyez ?

L'officière fit un geste d'apaisement de la main.

— Ne vous emballez pas, reprit-elle. Vous devrez sans doute les vendre à perte, surtout si vous n'avez pas l'expérience du marchandage. Ce que je suppose, puisque vous n'aviez pas songé à l'éventualité de les vendre. Néanmoins, vous n'aurez pas tout perdu.

— Merci.

La militaire s'éloigna, son devoir l'appelant ailleurs. Elbare se retourna et regarda les gens autour de lui. Il y avait sûrement là quelqu'un à la recherche d'un droit de passage. Le versev ne vit aucun de ses compatriotes, ce qui n'avait rien de surprenant ; ses semblables voyageaient très peu. Il n'y avait pas non plus de géants, car ceux-ci passaient toujours par le Grand Canal pour rentrer à l'Est. Il n'y avait pas davantage de cyclopes, qui préféraient la navigation. Elbare ne vit que des humains, ces grands excursionnistes, et des centaures, une présence logique, puisque la caravane se rendait chez eux, dans le Sud.

Un peu nerveux, Elbare avança vers la foule bigarrée.

— Excusez-moi, fit une voix derrière lui.

Elbare se retourna, plus par réflexe que parce qu'il se croyait interpellé. Il fut surpris de se trouver face à une cyclope. Elle était assez jeune, dans la vingtaine sans doute, même s'il connaissait trop peu cette espèce pour en être sûr. Le versev eut le réflexe de faire un pas de côté, croyant que la cyclope voulait avancer et qu'il lui avait involontairement bloqué le passage. Elle parut étonnée, mais ne fit aucun mouvement pour passer son chemin. Elle s'adressa même directement à lui.

— J'ai entendu votre conversation avec cette officière, expliqua-t-elle. Il se trouve que je cherche un passage dans cette caravane. Si vous avez des places à vendre…

Il fallut quelques instants à Elbare pour se remettre de sa surprise.

— J'ai deux places. Elles ne sont valables que jusqu'à la passe Trizone. J'ignore si ça peut vous convenir.

— Ce sera parfait. Combien en demandez-vous ?

— Le passage vaut quatre sols et six diz, lança Elbare sans réfléchir.

Il se rappela ce que lui avait dit l'officière à propos de la négociation. Il s'attendait donc à ce que la cyclope propose un montant bien inférieur. Mais elle fouilla dans son sac et tendit la somme demandée. Le versev contempla les pièces de cuivre et de bronze, plutôt surpris.

— Il y a quelque chose qui ne va pas ? s'inquiéta la cyclope.

— Non… répondit Elbare. Je m'attendais à ce que vous me proposiez moins.

— Et pourquoi donc ? Votre prix est équitable, il correspond au coût réel du voyage.

Il la remercia et elle s'éloigna après lui avoir retourné sa politesse, pour se perdre bien vite dans la foule. Elbare resta immobile, songeur. Depuis son arrivée à Capitalia, il n'avait pas eu l'impression que les autres habitants du Monde connu respectaient les versevs. L'attitude de l'officière et de la cyclope l'amenait à tempérer son jugement sur les citadins.

— Il n'y a pas que des exploiteurs, dans notre société, commenta quelqu'un près de lui.

Elbare se retourna. Il remarqua un humain, tout près de lui, qui le regardait. D'après sa tenue, il s'agissait d'un Viking. Il avait croisé quelques-uns de ces êtres au teint assez pâle dans les rues de Capitalia. Le versev s'attendait à ce que l'homme passe son chemin, mais il le regardait sans bouger.

— En effet, répondit enfin le versev.

— Il se trouve que je cherche aussi un passage pour le Sud, ajouta l'humain. J'ai cru comprendre que vous en aviez d'autres en surplus.

— Il m'en reste un, répondit Elbare.

L'homme sortit la même somme que la cyclope un peu plus tôt.

— Je ne peux pas faire moins que cette cyclope, badina le Viking. L'honneur de mon peuple est en jeu.

Le versev accepta l'argent et remit le second passage au Viking, qui le remercia pour se perdre ensuite à son tour dans la foule. Elbare resta figé sur place, encore ébahi par sa chance. Malgré l'avertissement de l'officière, il avait réussi à revendre les passages de Salil et de Nipas en quelques minutes. Mieux encore, ses deux acheteurs n'avaient pas tenté de l'exploiter. Comme l'humain l'avait affirmé, il restait encore des gens bien dans le Monde connu. Le comportement des soldats du Pentacle constituait peut-être une exception.

Elbare en vint même à se demander si le monde ne serait pas meilleur sans Lama-Thiva.

★ ★ ★

— En route !

Le cri de la centauresse qui commandait la caravane retentit haut et fort. Lentement, les premiers mulets se mirent à avancer, encouragés par les muletiers. De sa place, sur la dernière bête avant les chariots, Twilop vit la procession s'étirer, tandis que chaque animal se mettait en marche. Quand ce fut le tour de sa mule, l'hermaphroïde resserra sa main sur le pommeau de la selle. Elle n'avait jamais grimpé sur une bête de somme auparavant.

Pour la première fois de sa vie, Twilop allait sortir de Capitalia. L'appréhension de quitter tout ce qu'elle avait connu cédait à présent la place à l'excitation que lui insufflait l'anticipation de la découverte. Déjà, cette partie de la ville lui était peu connue. Lorsqu'elle avait la permission de sortir du palais, Lama la faisait toujours accompagner d'un soldat chargé d'assurer sa sécurité. Elle avait visité les places, les théâtres, les musées, et même parfois des marchés, sans cependant acheter elle-même. Si elle désirait quelque chose, le soldat s'occupait de la transaction.

Dans les jours à venir, l'hermaphroïde verrait des paysages qu'elle n'avait pu qu'imaginer en scrutant les cartes du Monde connu. Il ne s'agissait pourtant pas d'un voyage d'agrément mais, pour le moment, elle se concentrait sur la joie que lui procurait l'instant présent. Elle ne pouvait néanmoins oublier que l'avenir du monde dépendait de leur réussite.

Machinalement, Twilop se mit à chercher ses compagnons de voyage dans la caravane. Le centaure Nolate marchait juste à côté d'elle, ce qui n'avait rien de surprenant. Il avait la mission de la conduire à Raglafart. La cyclope Aleel et l'humain Sénid marchaient en arrière, parmi les piétons de la caravane. Elle pouvait difficilement les voir depuis sa monture, puisqu'ils se trouvaient derrière les chariots.

Twilop réalisa tout à coup que Nolate la fixait avec intensité.

— Tout va bien ? demanda-t-il.

— Oh oui ! fit-elle. Je vais enfin voir le monde.

— Je comprends. Mais n'oublie pas que nous devons nous montrer discrets. Tu ne connais personne dans cette caravane, n'est-ce pas ?

Twilop saisit l'allusion.

— Vous êtes la seule personne que je connaisse dans cette caravane, reprit-elle.

Nolate venait de lui rappeler discrètement qu'ils devaient éviter d'attirer l'attention sur eux. Lama avait peut-être décidé de la laisser partir, mais, si elle paraissait se désintéresser d'elle, peut-être la faisait-elle surveiller. Twilop supposait qu'un soldat de l'escorte s'était vu confier cette tâche. Elle aurait sans doute pu jeter un rapide coup d'œil à la recherche de ses compagnons, mais mieux valait ne pas prendre de risque. Nolate l'aurait avertie si l'un deux avait changé d'avis et renoncé au dernier moment.

Le mur d'enceinte de Capitalia lui rappela qu'elle se préparait à sortir de la ville. Déjà les premiers mulets franchissaient l'arche. Twilop regarda l'ouverture dans le mur de briques rouges. Deux soldats marchaient sur le chemin de ronde. La mule de l'hermaphroïde passa l'ouverture et, pour la première fois de sa vie, Twilop se retrouva à l'extérieur de Capitalia. Encore un pas et elle serait plus loin de chez elle qu'elle ne l'avait jamais été.

Les lourds panneaux de bois bardés de métal qui formaient les battants se refermèrent après le passage des derniers marcheurs de la caravane. Twilop était émue. Elle se trouvait enfin à l'extérieur. L'hermaphroïde jeta un regard au-delà du mur. Il lui faisait tout drôle de découvrir Capitalia sous cet angle. Elle scruta tout ce qu'il y avait autour d'elle. Les champs à l'herbe encore courte en ces premiers jours d'été, les quelques maisons éparses sur ces prairies, tout était inédit pour elle. Au loin, la route descendait jusqu'à la rive du lac Capitalia. Elle vit ainsi le vaste plan d'eau de plus près que jamais.

La route ne longeait le lac que sur une centaine de mètres. Au-delà, la piste dépassait une arête de la montagne qui s'avançait jusqu'au lac et une bifurcation vers la gauche en ramenait le tracé plus près des monts Centraux. La caravane passa l'arête, révélant un paysage qui séduisit l'hermaphroïde. Il s'agissait d'autres champs qui s'étendaient jusqu'aux pieds des monts Centraux. Ils ressemblaient en tout point à ceux qu'elle avait vus toute sa vie depuis le chemin de ronde du palais. Pourtant, Twilop était ravie.

Elle se retourna et eut un choc : Capitalia avait pratiquement disparu. L'arête de la montagne cachait le mur d'enceinte et seuls les plus hauts édifices demeuraient encore visibles. L'arête les dissimula un à un, au fur et à mesure que la caravane progressait. Twilop n'avait jamais été témoin d'un naufrage, mais elle avait l'étrange impression de regarder la ville couler.

Capitalia fut bien vite hors de vue derrière l'arête rocheuse.

Twilop reporta son regard vers l'avant, cherchant à tout voir. La route s'allongeait, droite sur plusieurs kilomètres. Elle descendait en pente douce vers la pointe du lac Capitalia, qui se déversait par une rivière dans le lac Primaire, qu'ils atteindraient vraisemblablement en fin de journée. Twilop s'étonna en découvrant à quel point la rivière était rectiligne. Elle réalisa bientôt qu'elle voyait en fait autre chose.

— C'est le Petit Canal ? devina-t-elle.

— Oui, répondit Nolate. C'est le canal qui permet la navigation vers le Sud.

L'hermaphroïde examina la construction, surprise de la trouver si semblable au Grand Canal qui passait juste au nord de Capitalia. Bien sûr, il n'y avait rien ici d'aussi spectaculaire que le tunnel percé sous les monts Centraux. Pour le reste, le Petit Canal ressemblait en tout point à son grand frère. Seulement, le Grand Canal se prolongeait sur des centaines de kilomètres jusqu'aux hautes terres de l'Est, alors que celui-ci prenait fin dans le lac Primaire, à quelques dizaines de kilomètres de là.

— Que verrons-nous ensuite ? Je me le demande…

— Oh, le paysage est plutôt pareil tout au long de la route ! répondit Nolate. Du moins jusqu'au col de l'Armistice. Ce soir, nous camperons sur les berges du lac Primaire et demain, un peu avant le passage du col. De l'autre côté des monts Centraux, en revanche.

Nolate soupira et se tut. Twilop devina assez vite ce qui suscitait sa nostalgie. Sachant qu'ils devaient quitter la caravane vers la fin du passage du col, elle songea que le centaure regrettait de ne pas rentrer chez lui. L'hermaphroïde le comprenait fort bien, elle qui venait de quitter tout ce qu'elle avait connu toute sa vie. Pour elle, au contraire, c'était la joie de la découverte qui dominait.

CHAPITRE CINQ

Le premier soir, lorsque la caravane s'était arrêtée pour la nuit, Elbare n'avait pas trouvé d'endroit convenable pour se nourrir. Le camp avait été dressé à la pointe nord du lac Primaire, un emplacement essentiellement rocheux. Le versev avait donc dû se contenter de s'alimenter de la même façon que les espèces animales du Monde connu, par la bouche. Il avait prié les éléments pour dénicher un coin propice le deuxième soir. Son souhait fut exaucé.

Elbare repéra un endroit intéressant entre deux arbres. Il se glissa entre les troncs qui plongeaient leurs racines dans un humus noir fort appétissant. Il y enfonça ses orteils racines et, en quelques instants, son corps se transforma. Des feuilles couvrirent ses membres et son torse tandis que les nutriments se mettaient à remonter dans ses capillaires. Elbare ferma ses paupières internes, celles qui étaient translucides, et se délecta de sels minéraux particulièrement savoureux. S'il arrivait à se nourrir ainsi une heure entière, il accumulerait assez d'énergie pour jeûner une dizaine de jours.

Des bruits de pas attirèrent son attention. À travers ses paupières translucides, Elbare vit approcher une silhouette bipède. Le marcheur ne cherchait pas à se dissimuler, ce qu'aurait fait un pillard venu espionner la caravane. La silhouette arriva tout près du versev camouflé. Ce dernier devina une forme féminine. Quand la femme tourna le regard dans sa direction, Elbare vit l'œil unique et reconnut la cyclope à qui il avait vendu un passage.

Elbare ne perdit pas de temps à se demander ce qui l'amenait. Vraisemblablement, tout comme lui, la cyclope avait voulu s'isoler. Évidemment, dans son cas, ce n'était pas pour se nourrir. Le versev supposa qu'elle comptait prendre un bain. Cependant, elle ne retira aucun vêtement. Elle s'assit à quelques pas seulement de lui et ôta ses bottes pour tremper ses pieds dans l'eau. Elbare entendit son soupir de satisfaction. Tout comme lui, elle appréciait le ruisseau, même si c'était pour des raisons différentes.

D'autres pas attirèrent son attention. Cette fois, Elbare devina un effort de dissimulation de la part du marcheur. Le versev s'étonna en reconnaissant le Viking, l'autre voyageur à qui il avait vendu un passage. Pourquoi approchait-il de la cyclope avec autant de précautions ? Sûrement pour l'agresser, la voler ou la tuer. Le versev se préparait à crier pour avertir la cyclope lorsque le Viking s'arrêta à quelques mètres de sa proie.

— Bonsoir Aleel ! lança-t-il.

La cyclope se redressa vivement et resta immobile, debout dans le ruisseau.

— Désolé de t'avoir effrayée, fit l'humain.

— Je ne t'ai pas entendu approcher.

— Je me suis assuré de ne pas être suivi, expliqua le Viking.

Voilà qui surprenait Elbare. De ces courtes répliques, il déduisit que la cyclope et l'humain s'étaient déjà rencontrés. Pourtant, à Capitalia, ils l'avaient abordé séparément pour acheter les places dont il disposait. Le versev ne se rappelait pas les avoir vus ensemble pendant la marche, ni lors des bivouacs et de la halte de la nuit précédente. Ils voulaient donc garder secret le fait qu'ils se connaissaient. Pourquoi ?

Elbare se sentit tout à coup honteux de les épier ainsi. Il n'avait aucune raison de s'immiscer dans leur vie privée. S'ils préféraient demeurer incognito et voyageaient séparément, ils avaient une raison qui ne le concernait aucunement. Il aurait voulu s'éloigner et les laisser à leur intimité, mais il ne pouvait se déraciner sans révéler sa présence.

— Je voulais seulement te prévenir que nous quitterons la caravane demain au bivouac de la mi-journée, reprit le Viking.

— Je me demande si nous avons réellement une chance, lança la cyclope. Je veux dire, la déesse est si puissante…

— Je comprends tes hésitations.

— Oh, je ne vous abandonnerai pas ! Je sais très bien que nous n'avons pas le choix. Si nous ne l'arrêtons pas, elle va tous nous anéantir. Maître Pakir a été clair à ce propos.

Arrêter la déesse ? Elbare était confus. Il avait cru surprendre deux amoureux, il réalisait qu'il s'agissait de tout autre chose. Avait-il vraiment entendu que la cyclope et l'humain tramaient quelque chose contre Lama-Thiva ? Ils semblaient croire que la souveraine ne planifiait rien de moins qu'un génocide. Plus étonnant, peut-être, la cyclope avait évoqué le magicien Pakir-Skal comme s'il s'agissait d'une de ses connaissances. Était-elle une personnalité importante de son peuple pour fréquenter un personnage de cette envergure ?

— Tu as raison, lança le Viking. Nous devons réussir. J'ignore ce que deviendrait le monde sans la déesse, mais je ne veux pas vivre dans celui qu'elle nous prépare

— Si nous échouons, répondit la cyclope, nous n'aurons même pas cette chance. C'est de trahison, qu'il est question. Rappelle-toi comment les soldats traitaient ce versev qu'ils ont arrêté et qu'ils traînaient comme une bête. Qu'avait-il fait pour mériter un traitement manquant à ce point de dignité ?

Ainsi, ils avaient été témoins de l'arrestation de Nipas. Cela lui rappela la façon dont la déesse traitait son peuple. Lors de son séjour à Capitalia, Elbare avait découvert le mépris de la déesse et de ses troupes envers les siens. L'officière chargée de la sécurité de la caravane constituait une exception. Il avait ensuite rencontré cette cyclope, qui n'avait jamais cherché à l'exploiter, pas plus que le Viking. Et voilà que les deux parlaient d'un monde sans Lama-Thiva, un monde auquel il avait lui-même songé quelques jours plus tôt !

— Je retourne au campement, lança l'humain.

— Je te laisse quelques minutes d'avance pour que personne ne nous voie ensemble, répondit la cyclope. Demain, nous entreprendrons le voyage. Dis à ton mentor que je suis prête.

L'humain s'éloigna du même pas furtif qu'il avait adopté en arrivant. La cyclope acheva de sécher ses pieds et remit ses bottes avant de partir à son tour. De nouveau seul, Elbare réfléchissait à ce qu'il venait d'apprendre. Cette cyclope et cet humain préparaient quelque chose qui, selon eux, mettrait fin au règne de la déesse. Si lui n'avait fait que songer à une telle éventualité, d'autres, il le découvrait, faisaient davantage.

Comment pensaient-ils éliminer Lama-Thiva ? Ses pouvoirs magiques la protégeaient depuis des siècles des tentatives d'assassinat. S'ils comptaient agir, c'est qu'ils avaient trouvé un moyen de contourner ces protections.

Elbare voulait en apprendre davantage. Il était curieux de savoir comment ils avaient prévu s'y prendre. Et s'ils avaient une chance de réussir.

✦✦✦

Deux rocs semblables à des colonnes marquaient l'entrée du col de l'Armistice. Pendant le prochain kilomètre, la caravane se retrouverait dans un étroit passage bordé de rochers épars. Par la suite, la vallée s'évaserait et la route grimperait entre deux pics, avant de redescendre vers les plaines, à l'est des monts Centraux. En attendant, il fallait demeurer vigilant. D'après les dires des soldats de la garde, c'était l'endroit où on risquait le plus une attaque de pillards.

Aleel entendait des conversations autour d'elle. Les gens semblaient avoir de la difficulté à croire que la caravane risquât quoi que ce soit. Selon eux, il faudrait être un peu fou pour attaquer une cible aussi bien défendue. Les pillards devaient plutôt rançonner les voyageurs solitaires. La cyclope savait au contraire qu'une caravane transportait beaucoup plus de richesses qu'une personne seule et suscitait de ce fait la convoitise des bandits. Il n'y avait pas que les passagers, à pied ou en chariot, il y avait aussi les marchandises que transportaient les mulets.

Un cri retentit dans la colline, amenant les marcheurs à s'arrêter. Tous tournèrent la tête vers la pente escarpée. Aleel scrutait le versant de son regard acéré en cherchant le lieu d'origine du cri. Elle crut percevoir deux silhouettes bipèdes derrière un roc. Elle plissa la paupière, ce qui activa la concentration de son regard. Oui, il y avait deux hommes munis de gourdins qui observaient la caravane.

— Là-bas ! s'écria-t-elle. Derrière le rocher.

— Qu'est-ce que tu racontes ? demanda un soldat qui se trouvait tout près. Il n'y a que du roc, dans ce coin-là.

Il se tourna et vit qui lui avait parlé.

— Comment une cyclope pourrait-elle savoir ça ? J'ai deux yeux, moi, et je ne vois que du roc.

Aleel ne prit pas la peine de répondre. Le commentaire du soldat dénotait son ignorance quant à la capacité de l'œil cyclopéen de faire paraître plus près ce qui était observé.

— Par là ! cria une voix. Ils attaquent !

Aleel se retourna, comme la plupart des gens autour d'elle. De l'autre côté du passage, une vingtaine d'hommes armés de gourdins dévalaient la pente en direction de la caravane. La cyclope comprit que les premiers cris n'avaient constitué qu'une diversion. Les assaillants coururent d'abord en silence, pour se mettre à hurler lorsqu'ils se surent repérés. Les marcheurs de la caravane eurent un mouvement de recul face à cette charge bruyante. La cyclope comprenait fort bien leur frayeur. Les pillards savaient ce qu'ils faisaient en accompagnant leur charge de hurlements.

Les soldats se regroupèrent rapidement. Aleel fut choquée en constatant que la plupart d'entre eux formaient un rang devant le convoi de mulets, ne laissant qu'un petit détachement de recrues pour protéger les voyageurs. Il était vrai que les pillards fonçaient vers les mulets. Comme l'avait déduit Aleel, les marchandises s'avéraient une cible plus intéressante pour eux.

De nouveaux cris retentirent et d'autres pillards surgirent de l'endroit qu'avait repéré Aleel, sur le premier versant. Cette fois, les assaillants visaient les voyageurs à pied. Les quelques soldats chargés de leur protection se mirent en position, l'épée au poing, parés à repousser l'assaut. Ils étaient trop peu nombreux pour contenir l'ennemi. Les premiers brigands furent sur eux et un rude combat s'engagea, épées contre gourdins. Les détrousseurs étaient à trois contre un au moins et les défenseurs furent rapidement submergés.

Certains contournèrent les soldats et se ruèrent sur les voyageurs. Plusieurs personnes, effrayées, cherchèrent le salut en rebroussant chemin. Elles ne parvinrent pas à s'échapper. Les assaillants encerclèrent le groupe et entreprirent de détrousser chacun méthodiquement. Un homme assez jeune tenta de résister. Un coup de massue le jeta au sol. Malgré la distance, Aleel distingua le sang qui coulait de la tête de l'infortuné. Une femme se jeta sur le corps en sanglotant.

La cyclope n'eut pas le temps d'en voir plus. Un pillard accourait dans sa direction, le gourdin dressé au-dessus de sa tête. Aleel se prépara à le recevoir. Elle le laissa foncer, sans bouger, dans l'attente du prochain mouvement de son ennemi. Le brigand se précipita sur sa proie désarmée sans précaution particulière. Au dernier moment, la cyclope se retourna et lui décocha une savate qui atteignit l'agresseur en plein sternum. Aleel ne perdit pas de temps à voir dans quel état se trouvait son assaillant. Il y avait des combats partout autour d'elle.

D'un côté, les soldats de l'arrière-garde tombaient sous les coups des pillards. Au centre de la caravane, au contraire, les brigands qui harcelaient les soldats chargés de la protection des marchandises se faisaient écraser. Il s'agissait de l'endroit le mieux défendu. Non loin d'elle, Aleel vit Sénid en pleine action.

Le moins qu'on pût dire, c'est qu'il savait se servir d'une épée. Alors que partout ailleurs les voyageurs remettaient leurs maigres possessions à leurs agresseurs pour sauver leur vie, Sénid multipliait les charges pour écarter des groupes de bandits. Dès que le Viking voyait une occasion de protéger un voyageur isolé, un enfant, une famille, il fonçait sur les pillards et les dispersait. Aucun soldat ne montrait autant d'ardeur à protéger les gens. Les brigands surent rapidement qu'ils devaient éviter cette tornade bardée de cuir. Sénid faisait le vide autour de lui.

— Attention !

En se retournant, Aleel découvrit deux bandits qui l'attaquaient. Elle se mit en position de combat en maudissant sa distraction. Le premier se jeta sur elle comme l'avait fait l'agresseur précédent. Il tenta de lui porter un coup puissant de son gourdin qui lui aurait fendu le crâne s'il avait atteint son but. Mais elle se déplaça vers la droite et, du revers du pied, frappa l'agresseur à la tempe. Le combattant s'écroula, proprement assommé.

Le deuxième attaquant s'arrêta net dans sa charge. Il venait de réaliser qu'il n'avait pas affaire à une proie sans défense. Il ne laissa pas tomber pour autant et marcha prudemment vers la cyclope. Aleel fit un pas de côté. Mal lui en prit : elle trébucha sur le pillard qu'elle venait d'assommer. Elle dut exécuter quelques contorsions pour ne pas tomber, ce qui permit au bandit de la rattraper. Aleel évita de justesse la massue et parvint à toucher l'homme au bras, avec assez de force pour lui faire échapper son arme. Le pillard se jeta sur elle.

Au corps à corps, elle n'avait aucune chance. Le gaillard musclé la plaqua au sol et l'immobilisa sous sa masse. Il la frappa à plusieurs reprises. Elle réussit à parer les premiers coups, jusqu'à ce l'un d'eux l'atteigne à la tête. Étourdie et nauséeuse, Aleel perçut la suite comme dans un cauchemar. L'homme éclata de rire et lui cracha au visage avant de lui empoigner un sein.

— Voyons ce qu'une cyclope a de bien à offrir là-dessous, lança-t-il.

Il agrippa sa chemise et chercha à la déchirer. À travers l'espèce de brouillard qui la rendait confuse, elle trouva le temps de s'étonner. Il n'allait tout de même pas tenter de la violer en plein milieu d'un combat ! Sa confusion redoubla lorsque le bandit s'arrêta soudain et tomba sur le côté. Aleel était libérée du poids qui l'entravait. Il y avait quelqu'un d'autre devant elle, qui tenait un gourdin à la main. Une silhouette verte. Le versev ?

La cyclope secoua la tête pour s'éclaircir les idées.

— Merci, dit-elle.

Mais elle ne voyait le versev nulle part. Surprise, elle le chercha du regard. En vain, il n'y avait aucune trace de son sauveteur. Les combats faisant toujours rage, Aleel se releva. La cyclope commençait à croire qu'elle avait rêvé, même s'il y avait bien deux brutes assommées à ses pieds, dont celle qui l'avait malmenée.

— À l'attaque !

Aleel s'empara d'une massue pour ne pas rester désarmée. Elle se jura de faire passer un mauvais moment au prochain qui s'aviserait de la peloter. Elle se tourna vers l'endroit d'où provenait le cri et éprouva un certain soulagement en voyant cinq centaures foncer vers les pillards, Nolate à leur tête. Les renforts avaient tardé, mais ils étaient plus que bienvenus.

Les centaures étaient réputés pour leur talent d'archer. Ils chargeaient cependant avec des lances, d'une longueur impressionnante. Le martèlement de leurs sabots provoqua un bruit infernal qui surprit les brigands. Nolate embrocha deux hommes, qu'il repoussa en faisant vigoureusement osciller sa lance. Deux autres centaures firent mouche de la même façon. En quelques instants, la peur changea de camp et les pillards prirent la fuite. Tout redevint étrangement calme. Aleel ne réalisa qu'au bout de plusieurs secondes qu'ils avaient gagné.

Les pleurs des familles des victimes lui rappelaient cependant le prix terrible de cette victoire.

Elbare regardait la scène, toujours sous le choc de ce déploiement de violence. Il leva le visage vers le soleil bienveillant pour se calmer en absorbant ses rayons. La course du soleil dans le ciel lui fit réaliser que l'affrontement n'avait duré qu'une dizaine de minutes. Cela avait paru tellement plus long… Le versev n'avait pas souvenir d'avoir vécu des moments aussi intenses de toute sa vie.

En voyant les agresseurs foncer sur eux, son réflexe de camouflage avait pris le dessus. Elbare s'était empressé de plonger ses orteils racines dans le sol pour se transformer, convaincu que les pillards ne s'intéresseraient pas à un arbre. Il avait alors assisté impuissant à plusieurs scènes d'horreur qui l'avaient conforté dans sa décision. Qu'aurait-il pu faire, lui qui ne savait pas se battre, à l'instar de tous ceux de son espèce ? Même les quelques soldats de l'arrière-garde se faisaient massacrer, submergés par le nombre.

Le versev avait constaté avec stupeur que le gros des troupes protégeait les marchandises plutôt que les voyageurs, alors que leur présence auprès d'eux aurait équilibré les forces et sauvé des vies. La colère s'était éveillée en lui. Voilà donc comment Lama-Thiva gérait le monde ! Au moins, certains tentaient de protéger les voyageurs, notamment le Viking et la cyclope. Il les avait regardés en admirant leur courage. Quand il avait vu la cyclope en danger, il s'était décidé à intervenir.

Les centaures revinrent à la caravane. Les voyageurs indemnes se relevaient et aidaient les blessés. Une vingtaine de silhouettes restèrent au sol, certaines immobiles, d'autres ne bougeant que légèrement. La cyclope s'affairait auprès de ces dernières. Il n'y avait plus rien à faire pour les morts, mais plusieurs blessés avaient besoin de soins immédiats.

Les soldats aussi s'affairaient. Un petit groupe creusait quatre tombes pour leurs camarades tombés dans l'affrontement. Elbare vit les corps inertes et reconnut avec consternation l'officière qui commandait le détachement. Il en fut désolé. Quand les militaires eurent enterré leurs camarades, ils posèrent des pierres sur les tombes et se recueillirent quelques secondes. Un silence pesant régnait sur la caravane.

— Ce sera tout, ordonna le plus haut gradé. Enterrez les autres morts.

Les soldats s'empressèrent de creuser un nouveau trou, un peu plus loin de la route. Ils traînèrent les corps sur le sol et les lancèrent dans la fosse commune sans autre formalité. Les proches des défunts regardaient la scène, un air d'impuissance et de défaitisme sur le visage. Elbare se demanda ce qui les affectait le plus, entre la perte des êtres chers et le peu de respect que les militaires manifestaient envers les dépouilles. Les soldats poussèrent le mépris envers les voyageurs jusqu'à jeter les corps des pillards tués dans le même trou.

Quelques cris s'élevèrent de la foule.

— Vous n'allez tout de même pas faire ça ! s'indigna un homme.

— C'est honteux, ajouta une femme. Comment osez-vous enterrer ces salauds avec leurs victimes ?

Elbare ne put voir l'auteur de cet appel au respect le plus élémentaire. Trois soldats sortirent leur épée et firent face à la foule, pendant que leurs collègues terminaient leur tâche. Ils enterrèrent rapidement les dépouilles. Contrairement à ce qu'ils avaient fait pour leurs camarades, ils ne posèrent aucune pierre sur la fosse. Le versev hocha la tête, dégoûté, sachant parfaitement ce qu'il adviendrait des corps dans les jours à venir. Les charognards du secteur se régaleraient des cadavres de ces gens.

La centauresse qui commandait la caravane regardait le tout d'un air peiné. Elle ne fit cependant aucune tentative pour inciter les soldats à faire preuve de plus de compassion. Elbare commençait à bien cerner leur comportement et se doutait que cela n'aurait servi à rien. Étant donné son expérience de chef de caravane, la centauresse avait dû vivre ce genre de situation à plusieurs reprises dans le passé.

Le plus haut gradé des soldats restants se planta devant elle.

— Il faut se hâter, lança-t-il d'un ton hautain. Cette affaire nous a fait prendre une heure de retard.

— Il reste à nous occuper des blessés, rappela-t-elle.

— Ils devront suivre ou s'en retourner, rétorqua l'officier. Nous n'avons pas de temps à perdre avec les traînards !

— Je ne vais certainement pas abandonner qui que ce soit sur cette route ! s'écria la centauresse.

Elbare se réjouit de voir quelqu'un oser tenir tête à un officier du Pentacle. L'homme bomba le torse, imbu de son statut. Loin de se laisser impressionner, la chef de caravane se contenta de soutenir le regard du militaire. L'officier sembla se rappeler à qui il parlait, car il parut soudain hésitant. Ce fut lui qui baissa les yeux le premier.

— Dans ce cas, dit-il, débrouillez-vous pour leur trouver une place. Nous repartons.

La centauresse fit installer les blessés dans un des chariots, invitant les bien portants à se serrer dans les autres. Personne ne protesta. La cyclope grimpa dans le chariot pour continuer à s'occuper des blessés. La caravane reprit enfin la route. Elbare suivit avec les autres marcheurs. Il observait la cyclope en réfléchissant. Il y avait dans le Monde connu plus de gens comme elle et ce Viking qu'il ne l'avait cru. Cette fois, la conviction d'Elbare s'était affirmée : le monde deviendrait un endroit meilleur sans Lama-Thiva.

Il aurait aimé connaître les plans de la cyclope et du Viking. Leur projet lui plaisait de plus en plus. De toute son âme, il souhaita leur réussite. Quelles que soient leurs intentions, ils devraient prendre d'énormes risques pour parvenir à leurs fins. Il leur faudrait beaucoup de chance, aussi. Et pourquoi pas un coup de main ?

Elbare réfléchit à ce qu'il pourrait leur apporter. Il n'avait que son talent de camouflage à offrir, ce qui s'avérerait peut–être insuffisant à leurs yeux. Le versev n'avait pas l'habitude des décisions hâtives, mais le temps manquait. Les conspirateurs prévoyaient quitter la caravane dans la journée. Quant à lui, il était censé retourner en Versevie pour rapporter la décision de la déesse concernant les droits de passage. Que penseraient Nipas et Salil en découvrant qu'il n'était pas rentré ? Peut-être le croiraient-ils mort ?

Elbare conclut à la réflexion que le message pouvait attendre. Ses amis rentreraient tôt ou tard en Versevie et transmettraient l'information. Il pouvait donc se joindre aux comploteurs. C'était décidé, il tenterait de leur parler avant leur fuite. S'il n'y arrivait pas, il les suivrait.

Les muletiers firent avancer les bêtes, qui s'engagèrent lentement dans la descente. Nolate dut retenir leur mule, qui cherchait instinctivement à rejoindre ses congénères. Twilop parvint à calmer rapidement l'animal. Reportant son attention sur la caravane, le centaure regarda les chariots qui se mettaient en branle, leurs conducteurs tirant avec force sur les manettes de frein pour éviter un accident. Les marcheurs, en fin de convoi, suivirent sans qu'on eût à les presser. Après l'attaque du matin, personne ne tenait à rester en arrière.

C'est pourtant ce qu'avaient fait Nolate et Twilop. Discrètement, le centaure avait amené la mule derrière un amoncellement de rochers, pendant qu'Essena occupait le nouveau commandant des soldats. Elle avait dû imaginer un prétexte quelconque pour retenir l'attention de l'officier, qui avait semblé particulièrement agacé. Mais la centauresse était réputée pour son perfectionnisme. Il avait donc dû se résigner à écouter ses doléances.

Comme Essena l'avait planifié, la caravane avait fait une halte au point le plus élevé de la passe. Une fois la caravane à l'arrêt, Aleel était descendue du chariot qui transportait les blessés, le visage défait. Nolate avait compris ce qui la peinait lorsque deux corps avaient été descendus pour être enterrés au bord de la route.

La caravane passa un tournant et fut bientôt hors de vue. Nolate regarda en arrière, examinant deux rochers situés un peu plus haut sur la pente, près du ruisseau. Il ne vit rien et pourtant il savait qu'Aleel se tenait là, quelque part. Grâce à sa faculté de voir au loin, la cyclope saurait déterminer à quel moment ils pourraient quitter leur cachette sans danger. Ce don serait un atout important tout au long de leur mission. Sénid, lui, se cachait de l'autre côté de la route.

Les gardes n'avaient lancé aucune recherche pour retrouver les voyageurs manquants, preuve supplémentaire de leur indifférence envers les gens qu'ils étaient chargés de protéger. Nolate avait attendu aussi longtemps que possible pour se cacher en compagnie de Twilop. Il avait vu la jeune fille blonde prendre le voile de l'hermaphroïde et s'en couvrir la tête. Le centaure pria le dieu Equus pour que le subterfuge soit découvert le plus tard possible.

Aleel arriva enfin en longeant le ruisseau.

— Tout va bien pour le moment, affirma-t-elle. Personne ne semble avoir remarqué notre absence.

— Le leurre fonctionne toujours ? demanda Twilop.

Elle avait devancé la question qu'allait poser Nolate.

— Personne ne s'est intéressé à la silhouette encapuchonnée, confirma la cyclope. Où est Sénid ?

— Je suis là, fit la voix du Viking.

Il venait de sortir de sa cachette, un gros rocher aux formes arrondies, juste à côté d'un petit arbre. Ce végétal paraissait d'ailleurs étrange à Nolate. Il avait l'impression qu'il s'agissait d'une plante poussant d'habitude beaucoup plus loin au sud. Elle devait souffrir de la fraîcheur du climat, surtout à une altitude aussi élevée. Le centaure n'avait rien d'un botaniste et il se désintéressa de l'arbre. Ils avaient une mission autrement importante à entreprendre.

— Dans ce cas, fit le centaure, mettons-nous en route.

— Je croyais que nous attendrions la nuit pour rejoindre la route du Nord, s'étonna Aleel.

— C'est ce que j'ai dit à Essena, confirma Nolate. Je l'ai induite en erreur pour éviter qu'elle ne nous dénonce si le subterfuge servant à cacher le départ de Twilop est découvert trop tôt et que les soldats la questionnent. Dans ce cas, elle les renverra ici...

— Alors que nous n'y serons déjà plus, compléta Sénid. Bonne idée.

Nolate approuva d'un hochement de tête en souriant.

— En outre, je refuse de prendre le moindre risque avec les pillards. Ils sévissent habituellement à l'ouest du col, mais je ne veux pas que nous soyons les premières victimes d'un changement dans leurs habitudes.

Sur ce, ils prirent la route, Nolate guidant ses compagnons de voyage. Du groupe, il était le seul à connaître la passe, qu'il traversait chaque année pour retourner à Saleur pendant la pause estivale. Il avait confié à Essena une lettre que son amie remettrait à sa mère afin d'expliquer son absence. Nolate prétendait être resté à Capitalia pour perfectionner son savoir. Ainsi, elle ne s'inquiéterait pas de ne pas le revoir cette année.

Ils avançaient sans encombre. Fréquemment, Aleel grimpait sur la pente du passage pour s'assurer qu'ils n'allaient pas rattraper la caravane en allant trop vite. Ils durent même faire quelques haltes, car ils progressaient plus rapidement que le groupe, composé de familles et de gens peu habitués aux longues randonnées.

La fin de la passe se présenta brusquement à eux. Au détour d'un rocher, ils trouvèrent devant eux un paysage bien différent de celui situé à l'ouest des monts Centraux. Alors que l'autre pente bénéficiait de pluies régulières, l'obstacle que formaient les montagnes créait de ce côté un décor plus aride. Une savane parsemée de quelques arbres isolés courait jusqu'à l'horizon. Et personne n'habitait les parages.

La route tournait subitement à droite, vers le sud. Nolate regarda ce sillon de terre battue avec un brin de regret. Son foyer se trouvait au bout de cette mince ligne sombre dont ils devaient malheureusement s'écarter. Leur mission les appelait au contraire vers la gauche, sur l'autre route, qui paraissait nettement moins fréquentée. C'était ici le dernier endroit où Nolate pouvait encore se bercer d'illusions. Dès les premiers pas sur la vieille route du Nord, le centaure ne pourrait plus douter de la tâche qu'ils entreprenaient.

Il se tourna vers les autres.

— Nous y sommes, fit-il.

CHAPITRE SIX

Dans la petite clairière, le feu de camp éclairait de sa lumière vacillante le centaure et ses complices. La veille, pour leur première nuit loin de la caravane, ils avaient évité de faire du feu. À présent ils s'estimaient assez loin de toute présence pour passer inaperçus. La cyclope les avait assurés que personne ne les poursuivait.

Elle se trompait : Elbare les avait suivis.

Le versev pensait à l'importance de leur mission. Depuis qu'ils avaient quitté la caravane, les conjurés parlaient plus librement et Elbare avait ainsi pu saisir bien des détails de leur entreprise. Il en savait désormais davantage que les bribes échangées entre la cyclope et le Viking avant l'entrée du col de l'Armistice. Il frissonnait encore en songeant au projet démentiel de Lama-Thiva. Quelle folie de vouloir remplacer tous les peuples du Monde connu par une espèce correspondant à ses souhaits ! Les siens n'avaient déjà pas de place dans le monde actuel. Qu'en serait-il dans le nouveau ?

Conforté dans sa décision de se rendre utile, il réfléchissait au meilleur moyen de contacter ses futurs complices. Elbare redoutait leur réaction quand ils s'apercevraient que quelqu'un connaissait leurs intentions. Ils pourraient aussi bien décider de le tuer. Une fois qu'il aurait révélé sa présence, ils ne le laisseraient jamais repartir tout seul. Mais il était certain qu'il valait mieux leur parler de sa propre initiative, plutôt que d'attendre qu'ils découvrent par eux-mêmes sa présence.

Elbare se déracina et reprit sa forme bipède.

— Bonsoir, lança-t-il.

Son irruption provoqua une réaction plus explosive encore qu'il ne l'avait anticipé. Si le centaure resta assez calme, la cyclope sursauta et l'hermaphroïde poussa un petit cri. Le Viking, lui, fut debout en un instant, son épée déjà brandie, prête à l'usage. Elbare eut un mouvement de recul. Il savait pourtant qu'il était trop tard pour changer d'idée, même s'il l'avait voulu.

— Qui va là ? demanda l'humain. Montrez-vous à la lumière !

— Allons mon ami, répliqua le centaure en faisant un geste d'apaisement de la main. Il n'y a rien à craindre. Ne vois-tu pas que nous avons là un voyageur, tout comme nous ? Un bandit ne nous aurait pas alertés avant de nous attaquer.

Le centaure restait néanmoins à portée de sa lance, tandis que la cyclope se levait à son tour. Seule Twilop resta assise. Une fois passée sa frayeur initiale, son regard ne reflétait plus à présent qu'une très grande curiosité. D'après ce qu'Elbare avait entendu de leurs conversations, elle n'avait jamais quitté Capitalia auparavant. Tout ce qu'elle vivait semblait la fasciner.

— Il n'est peut-être pas seul, répondit le Viking.

— Je suis seul, objecta Elbare.

— Dans ce cas, fit Nolate, rejoignez-nous près du feu que nous puissions vous voir vraiment.

Elbare s'avança dans le cercle de lumière. Il se demanda qui, de l'humain ou de la cyclope, le reconnaîtrait en premier. Après tout, il leur avait vendu leurs places dans la caravane. Il avait également aidé la cyclope par la suite, lors de l'attaque des pillards. Elle eut soudain un mouvement de recul et une vive stupeur se lut sur son visage.

— Vous êtes le versev de la caravane ! s'écria-t-elle.

L'humain aussi l'avait reconnu.

— Tu as raison, confirma-t-il.

Il expliqua l'affaire des billets au centaure.

— Il m'a aussi sauvée d'un pillard pendant la bataille à l'entrée du col, ajouta la cyclope.

— Vraiment ? fit l'humain. Dans ce cas, nous vous devons des remerciements.

Le Viking garda néanmoins sa lame pointée vers Elbare.

— Je ne vous veux aucun mal, reprit Elbare. Je serais bien incapable de vous maîtriser. Mon peuple a peu d'aptitudes pour les combats.

— Pourquoi nous avez-vous suivis ? demanda le centaure.

— Pour me joindre à vous. J'ai entendu malgré moi une conversation entre ces deux-là, la nuit précédant l'attaque du col.

Il avait désigné la cyclope et le Viking de la main.

— Je suis allé avertir Aleel du moment exact où nous allions nous cacher, justifia Sénid, mal à l'aise. Je vous assure, maître, que j'ai pris toutes les précautions pour éviter qu'on me suive.

— Ne leur en veuillez pas, messire centaure, intervint Elbare. Qui pourrait croire qu'un arbre sait espionner ? Regardez…

Il planta ses orteils racines dans le sable de la clairière et se métamorphosa. La transformation provoqua chez les conspirateurs une stupeur qui aurait fait rire le versev dans d'autres circonstances. Il ne se serait pas permis de se moquer de ceux qu'il voulait rejoindre. D'ailleurs, sous sa forme sylvestre, il ne pouvait ni bouger ni parler.

Elbare reprit sa forme bipède.

— Je viens de vous révéler un secret que peu de non-versevs connaissent, dit-il. Considérez cela comme un geste de bonne foi. Et une preuve de l'utilité que je peux avoir pour vous. Mon talent de camouflage me permettra d'espionner des ennemis.

— Pourquoi nous aideriez-vous ? demanda la cyclope. La transformation n'est pas possible sur une créature végétale, le saviez-vous ?

— Mon peuple est continuellement victime des injustices de Lama-Thiva ! Pour vous prouver la sincérité de mon engagement, je peux déjà vous dire que le morceau du Pentacle confié à notre peuple ne se trouve plus en Versevie. Nos aïeux l'ont caché à Ênerf, la capitale des géants.

— Chez les géants ?

Le centaure regarda Elbare, qui crut discerner du désarroi sur le visage du quadrupède. Il expliqua le raisonnement du versev autrefois chargé de cacher le morceau à la déesse. Devinant que les géants mettraient la Versevie sens dessus dessous s'ils apprenaient la présence de l'objet dans le pays de leurs ennemis de toujours, il l'avait caché à l'endroit le plus improbable : le sanctuaire, lieu de pèlerinage des siens, à Ênerf. Depuis, dissimulé parmi d'autres reliques, il passait inaperçu.

— Fort bien, conclut le centaure. Voilà ce que nous allons faire : tu nous accompagneras et nous te surveillerons. À toi de gagner notre confiance.

Elbare les remercia et vint s'asseoir près du feu.

Le temps s'était maintenu au beau fixe depuis le départ de Capitalia. Les choses changèrent en ce troisième jour sur la route du Nord. Des nuages envahirent peu à peu le ciel pendant la matinée et quelques gouttes tombèrent lorsqu'ils s'arrêtèrent pour dresser le camp. Twilop détestait la pluie. Leurs couvertures étanches les maintenaient au sec, mais le froid était pénible. Elle avait l'impression qu'il la traversait jusqu'aux os.

Ils étaient désormais cinq pour chercher les morceaux du Pentacle. Twilop ignorait si le versev serait vraiment d'une grande utilité. Son talent pour le camouflage l'incitait à le croire. Pour le reste, Nolate, Sénid et Aleel avaient montré leurs talents au combat lors de l'attaque des pillards. Cela faisait d'elle le membre de l'équipe le moins apte à se défendre. Quand elle avait avoué ses craintes à ce sujet, Sénid avait proposé de lui apprendre les rudiments du maniement de l'épée. L'enthousiasme qu'elle avait éprouvé commençait à retomber.

— Empoigne fermement le manche, expliqua Sénid. Tu ne tiens pas un couteau de cuisine.

Twilop s'efforça de suivre les consignes du Viking. Elle raffermit sa prise et souleva péniblement la lame. L'hermaphroïde parvint tout juste à la tenir à l'horizontale. Cela la découragea. Il lui serait de toute évidence impossible de combattre avec une arme aussi lourde. Le Viking reprit l'épée sans faire de commentaires. Si cet échec le décevait, il n'en montrait rien.

— Ne sois pas déçue, lança-t-il. Je peux toujours te montrer l'usage d'une dague. Il faut te battre plus près de ton ennemi, mais tu auras une meilleure chance de survie qu'en étant désarmée.

— Quitte à devoir lutter au corps à corps, intervint Aleel, quelques prises d'autodéfense te permettraient de te protéger aussi bien sans dépendre d'une arme.

Twilop se demanda ce que la cyclope comptait lui apprendre.

— Vois-tu, expliqua-t-elle, dans un combat rapproché, il ne faut pas nécessairement opposer sa force à celle de l'adversaire. Je serais moi-même vite terrassée. Le truc consiste à retourner la force de l'adversaire contre lui.

— Comment est-ce possible ? s'étonna Twilop. On ne peut tout de même pas amener un assaillant à se frapper lui-même !

Aleel rit.

— Non, bien sûr. Mais tu peux voir ce qu'il tente de faire et lui opposer une manœuvre à laquelle il ne s'attendra pas. Par exemple, s'il fonce vers toi, n'essaie pas de l'arrêter. Attends le dernier moment et écarte-toi pour le laisser continuer sur son élan. Mieux encore, tends la jambe pour le faire trébucher. Un adversaire en pleine course ne pourra jamais garder son équilibre.

Elle lui montra comment faire en exécutant les gestes au fur et à mesure qu'elle expliquait le mouvement. Twilop accepta de faire un essai. Elle s'écarta de la cyclope qui courut vers elle. Aleel évita de tomber en s'arrêtant au dernier moment, car elle s'attendait à l'esquive. Elles inversèrent ensuite les rôles et Twilop décida de surprendre Aleel en tendant le bras pour l'attraper. Ainsi, elles tomberaient toutes les deux. Twilop courut, tendit le bras… et se reçut assez rudement sur le sol. La cyclope avait baissé la tête pour éviter le bras tendu et le piège de Twilop n'avait pas fonctionné.

— Désolée, fit Aleel. Mes réflexes ont joué. J'espère que tu ne t'es pas blessée.

— Non ça va, fit Twilop.

— Nous pourrons pratiquer quelques mouvements à l'occasion, suggéra Aleel. Avec ce que Sénid peut t'apprendre, tu sauras te défendre.

— N'y aurait-il pas moyen de combattre à distance ? demanda Twilop. Je pourrais m'essayer au tir à l'arc. Messire Nolate, voudriez-vous me montrer à tirer ?

Interpellé, le centaure interrompit sa conversation avec le versev.

— Ne va surtout pas croire que l'arc est une arme facile d'emploi, rétorqua-t-il. Mais je veux bien te faire essayer.

Nolate se rendit à la mule et fouilla dans les bagages. Il revint avec un arc et un carquois, qu'il endossa et se mit en position, torse bien droit, sabots avant écartés. Le centaure resta immobile. Soudain, d'un geste vif, il prit une flèche, l'encocha, banda l'arc et tira. La flèche heurta le tronc d'un arbre et tomba dans l'herbe. Nolate prit rapidement deux autres flèches et répéta l'exercice, atteignant l'arbre à chaque fois. Il ôta ensuite le carquois et le tendit à Twilop.

— À toi, essaie. Ne crains rien, j'ai enlevé les pointes.

Twilop accepta l'arme, un rien nerveuse. Elle prit une flèche et l'encocha, plutôt maladroitement. Nolate lui montra comment s'y prendre. Elle tira sur la corde et parvint à bander l'arc à demi. Quand elle lâcha la corde, la flèche partit mollement, sans même se rendre jusqu'à l'arbre. Twilop échappa l'arme, surprise. En se détendant, la corde lui avait éraflé le poignet. Nolate s'avança et récupéra son arme.

— Ce n'est pas si facile, n'est-ce pas ? fit le centaure. Il vaut mieux te concentrer sur la défense que te propose Aleel. Pour le reste, nous te protégerons. Souviens-toi que ton don de ressentir la proximité des éclats du Pentacle te rend indispensable dans cette mission.

Le centaure retourna ranger l'arc dans les bagages. Twilop le suivit du regard, dépitée. Nolate avait beau lui rappeler l'importance de son rôle, elle détestait l'idée de dépendre entièrement d'eux pour sa sécurité.

Qu'arriverait-il si elle se retrouvait seule, même un court moment ? Le monde était un endroit sauvage, avec des pillards qui attaquaient les voyageurs, un milieu hostile, loin de la sécurité du palais du Pentacle.

Aleel descendit de l'arbre dans lequel elle avait grimpé, inquiète de ce qu'elle venait de voir. De son regard perçant, elle avait examiné le Grand Canal, qui se perdait à l'horizon vers l'est et plongeait sous les monts Centraux. Il y avait un poste de garde installé sur la rive du canal et des soldats du Pentacle qui surveillait le bac, même de nuit. Ils ne pourraient jamais passer sans être repérés…

Twilop avait raconté ce qu'elle connaissait du Grand Canal. Dans le Monde connu, tous savaient que les géants s'en servaient pour transporter les récoltes des prairies de l'Est et ravitailler Capitalia. L'hermaphroïde s'était plutôt attardée à leur décrire l'ouvrage. Ils s'étaient particulièrement intéressés à un sentier d'entretien, construit sur la pente des montagnes. Les constructeurs avaient aménagé un espace plat bordé d'un mur de cinq mètres au-dessus de l'embouchure du tunnel, qui permettait d'arrêter les rochers qui se détachaient parfois de la pente. Il n'aurait pas fallu qu'un roc tombe dans le Grand Canal, au risque de frapper un navire ou d'en obstruer l'entrée.

— Une ou deux fois l'an, avait-elle expliqué, une équipe de géants grimpe le sentier pour déblayer les débris accumulés.

— Voilà qui démontre ton utilité dans cette mission, avait approuvé Nolate, avant d'envoyer Aleel vérifier si le sentier était libre de toute surveillance.

Il l'était.

Nolate avait estimé qu'il faudrait à peu près une demi-journée pour rejoindre l'autre rive du canal via ce chemin dont la largeur leur permettait de passer aisément. Mais Nolate et la mule n'avaient rien de chèvres de montagnes et ils peinaient à franchir certains passages. Ils finirent par dépasser la section boisée et se retrouvèrent sur une pente moins escarpée, bordée de rochers.

— Il serait temps de vérifier notre route, commenta Nolate. Aleel, cette pierre ferait-elle un bon point d'observation ?

La cyclope regarda le rocher que montrait le centaure. Il s'agissait en fait d'une pointe rocailleuse sortant du sol jusqu'à dépasser le niveau de la route de deux mètres environ. Sans un mot, elle y grimpa et commença à scruter l'horizon. Le soleil qui montait à l'est lui compliqua la tâche. Sa lumière lui arrivait dans l'œil et se reflétait sur les eaux calmes du Grand Canal. Il n'y avait malheureusement rien d'autre à voir que la savane à perte de vue.

Plus loin vers le sud, la vieille route se prolongeait vers l'horizon. Sénid s'était étonné de la trouver en si bon état, car aucune caravane n'y circulait plus. Ils n'avaient pas rencontré non plus de voyageurs depuis qu'Elbare s'était joint à eux. De toute évidence, elle servait encore, probablement au transport des marchandises vers le Grand Canal. Un petit groupe avançait précisément sur la route.

Comme ils n'avaient vu personne dans la région depuis qu'ils avaient quitté le col de l'Armistice, la cyclope trouva cette présence étrange. Elle perdit le groupe de vue à un détour du chemin, alors qu'il passait derrière un bosquet. Quand il réapparut, elle put l'observer avec plus d'attention. Aleel crut que son cœur allait cesser de battre. Elle se laissa tomber à plat ventre sur le rocher, oubliant momentanément que son don de concentration de l'image faisait paraître les soldats plus près qu'ils ne l'étaient en réalité.

— Que se passe-t-il ? demanda Sénid.

— Il y a des soldats sur la route, expliqua Aleel. Ils arrivent du sud.

— Nous sommes repérés, se plaignit Twilop. Ils viennent nous arrêter.

— Calmons-nous, lança Nolate. Il faut d'abord savoir ce qu'ils font exactement. Peut-être viennent-ils simplement relever la garde du bac.

— Ils arriveraient plutôt par le tunnel, commenta Sénid. Capitalia doit se trouver à moins d'une heure de navigation par cette voie.

Le centaure ne répondit pas tout de suite.

— Combien y en a-t-il ?

Aleel compta douze soldats, un nombre plus que suffisant pour procéder à leur arrestation. Nolate resta impassible, pendant que le Viking préparait son épée, convaincu qu'il leur faudrait bientôt défendre leur vie. La réaction de Sénid parut exagérée à la cyclope. Elle se demanda si la frayeur de Twilop ne l'affectait pas.

Un moment plus tard, ce fut à son tour de sentir poindre la panique.

— Oh non ! s'écria-t-elle.

— Que se passe-t-il ? s'inquiéta Nolate.

— Je reconnais l'un d'eux. Il était dans la caravane.

Cette fois, Twilop parut carrément terrorisée. L'hermaphroïde se recroquevilla dans un coin en tremblant de tous ses membres. Elbare se pencha sur elle pour tenter de la calmer. Le versev restait étrangement serein, comme si rien de tout cela ne l'effrayait. Il avait en fait moins de raisons que les autres de craindre les soldats, puisqu'il n'aurait qu'à se camoufler. Qui penserait à procéder à l'arrestation d'un arbre ?

— Gardons notre sang-froid, dit Nolate sur un ton ferme. Aleel, que font-ils exactement ?

Elle surveilla le détachement. Rien dans l'attitude de ces militaires n'indiquait qu'ils exécutaient une recherche quelconque. Ils marchaient d'un bon pas et aucun d'eux ne regardait de chaque côté ni ne cherchait de traces de pas sur le sol. Ils passèrent l'embranchement du sentier d'entretien sans y porter attention. Aleel s'empressa de rapporter ce qu'elle voyait. Ses compagnons en furent rassurés. Surtout Twilop, qui tremblait encore de tous ses membres.

Aleel devait admettre qu'elle aussi avait craint le pire.

Nolate affichait une impassibilité qu'il était loin de ressentir. Il avait craint le pire et, même si Aleel confirmait que les soldats poursuivaient leur route vers le Grand Canal, il se demandait encore quelle signification donner à la présence dans ce détachement d'un membre de la sécurité de la caravane. Son commandant l'avait-il envoyé à Capitalia faire rapport sur l'attaque des pillards ? Le soldat avait alors rejoint des troupes présentes dans ce secteur pour se faire escorter. En rentrant par le canal, il évitait les brigands qui sévissaient au col de l'Armistice.

Le centaure attrapa les rênes de la mule.

— Remettons-nous en route, lança-t-il.

À partir du rocher que la cyclope avait utilisé comme poste d'observation, le sentier d'entretien s'avérait nettement différent. Il n'y avait presque plus de pente et la piste se prolongeait en ligne droite sur une centaine de mètres, ce qui facilitait la progression. Nolate passa le tournant suivant et découvrit la tranchée. Sur un peu moins de 300 mètres, le sentier devenait un espace de 5 mètres de largeur bordé de murs taillés à même le roc.

Nolate aurait aimé se réjouir de la rapidité de leur progression. Il savait que cette fosse surplombait l'embouchure du tunnel et qu'ils avaient parcouru la moitié du trajet. Seulement, la tranchée servait à arrêter les éboulements qui auraient autrement entravé le tunnel et, devant eux, des débris obstruaient partiellement le passage.

— Eh bien, nous y sommes, fit-il.

— Le nettoyage n'a pas été fait depuis un moment, commenta Elbare.

— Nous sommes en juin, rappela Twilop. Ces rochers se sont détachés de la montagne au cours de l'hiver. Je suppose que des géants viendront s'en charger sous peu.

Un premier rocher bloquait la voie en partie, à dix mètres devant eux. Il n'occupait heureusement pas toute la largeur de la tranchée et le centaure passa sans trop de problèmes. Ses compagnons bipèdes passèrent évidemment avec plus de facilité. Nolate fit encore quelques pas et se retrouva devant une accumulation de cailloux de tailles diverses atteignant près de trois mètres de hauteur. Un bloc de pierre de taille imposante bouchait le passage sur la droite. Aussi, le centaure entreprit-il d'escalader l'amas instable.

Nolate peina et glissa en arrière, manquant tomber. Il dut s'agenouiller sur ses pattes avant pour éviter de s'étaler de tout son long. Il grimaça en sentant les cailloux acérés mordre sa chair. Il s'aida de ses bras pour se redresser et jeta un regard à son genou droit. Une marque rouge tachait son pelage. Il s'agissait d'une coupure bénigne, qu'il l'ignora.

— Je vais passer devant, suggéra Sénid.

Nolate accepta l'offre du Viking avec reconnaissance. Il aurait d'ailleurs dû le laisser ouvrir la marche avant de tenter l'escalade de ce monticule instable. Sénid y grimpa, glissant presque autant vers l'arrière qu'il avançait à chacun de ses pas. Il reprit son souffle et tendit la main pour faire passer Twilop et Elbare. Aleel avait préféré grimper sur le rocher. Nolate fut surpris de la voir sortir de la tranchée pour se retrouver sur le parapet de pierre.

— Attention ! l'avertit le centaure. L'autre côté de ce mur surplombe le canal.

Il n'osait imaginer les conséquences d'une chute. Elle serait presque certainement mortelle pour Aleel, mais la cyclope pourrait survivre et les soldats qui se porteraient à son secours s'étonneraient de sa présence en un endroit pareil. Aleel serait interrogée, torturée peut-être, jusqu'à ce qu'elle révèle le but de leur voyage et les noms de ses complices. Un détachement se lancerait à leur recherche, ce qui mettrait fin à leur mission.

— Il y a peu de danger, assura Aleel. Le sommet de ce mur mesure trois bons mètres de largeur et je ne compte pas en approcher le bord. Dans mon pays, des professionnels plongent à la mer de cette hauteur, mais je doute que le canal soit assez profond pour la pratique de ce sport.

— Puisque tu te trouves au sommet, lança-t-il, jette un regard aux soldats qui nous suivaient.

Aleel se fit une visière de ses mains.

— Je les vois, raconta-t-elle. Ils sont arrivés au bac, mais ils ne semblent pas pressés de traverser... Tiens ! Deux navires arrivent de l'Est.

— Des navires de géants, sans doute, commenta Twilop.

— Ils sont encore trop loin pour que je puisse le confirmer, répondit Aleel.

— Aucune importance, coupa Nolate. Reprenons la progression.

Toujours au sommet du monticule, Nolate attrapa les rênes de la mule et commença à tirer. Sénid et Elbare se placèrent derrière l'animal et poussèrent pour l'aider à monter. Il fallut plusieurs minutes d'efforts conjugués pour surmonter à la fois l'obstacle instable et les réticences de la bête. La descente de l'autre côté s'avéra aussi périlleuse. Cette fois, il fallut retenir la mule qui glissait sur les cailloux. Ils retrouvèrent avec soulagement le sol dur du fond de la tranchée.

De sa position surélevée, Aleel les rassura en annonçant qu'un seul autre obstacle bloquait la tranchée sur toute sa largeur. Nolate arriva à cet autre monticule, fait de pierres moins instables et d'un arbre que Sénid et lui entreprirent de déplacer. Il put donc passer, ainsi que la mule. Le centaure se retourna et regarda le chemin parcouru.

— Nous avons laissé des traces de notre passage, signala-t-il.

— Je m'en occupe, répondit Sénid.

Le Viking joignit le geste à la parole. Il récupéra une branche de l'arbre mort et retourna au premier monticule. Il tritura l'amoncellement, faisant retomber encore plus de pierrailles dans les traces de pas et de glissades, jusqu'à les rendre méconnaissables. Aux yeux des travailleurs qui viendraient dégager la tranchée, les marques restantes passeraient pour celles d'animaux sauvages. Il faudrait un examen minutieux pour découvrir l'effort de dissimulation.

— Voilà un problème réglé, commenta-t-il. Aleel, qu'en est-il de ces navires ?

— Ils transportent bien des géants, répondit-elle. L'un d'eux va accoster près du bac.

— Peut-être vont-ils déposer l'équipe de nettoyage de la tranchée, suggéra Elbare.

— Dans ce cas, nous avons de la chance, dit la cyclope. Le navire accoste contre la rive sud du canal. S'ils avaient débarqué de l'autre côté, ils nous auraient bloqué la route en grimpant ici.

Nolate fut partiellement soulagé. Il n'aurait pas apprécié devoir ramener le groupe sur ses pas pour attendre que les travailleurs aient achevé le déblayage, une tâche qui prenait probablement quelques jours. Plutôt que de risquer d'être découvert, il aurait sans doute choisi de mener le groupe vers l'est, à la recherche d'un endroit pour franchir le Grand Canal. Ils auraient été contraints de marcher dans la prairie pendant une durée indéterminée et leur mission en aurait été retardée d'autant. Et ils auraient couru davantage de risques d'être capturés.

— Il y a bien une équipe qui descend, expliqua Aleel.

— Que font les soldats ? demanda Nolate.

— Ils montent à bord. Je crois que vous aviez raison, ils se rendent à Capitalia.

Il avait donc deviné ce qui amenait le soldat de la caravane dans cette région. Mais la raison de ce retour l'inquiétait. Rentrait-il à Capitalia pour signaler que certains voyageurs avaient quitté la caravane ? Le secret du départ de Twilop ne pourrait être gardé indéfiniment, Nolate le savait. Seulement, il espérait que la déesse l'apprendrait le plus tard possible.

Il donna le signal de se remettre en route.

CHAPITRE SEPT

Depuis son balcon privé du palais, Lama regardait les géants descendre du navire qui venait d'accoster. Leurs ambassadeurs les accueillaient. Ils devaient guider les nouveaux arrivants vers le palais pour une audience. La déesse sourit, contente de cette arrivée. Ces volontaires rempliraient une autre salle dans laquelle des cosses les attendaient. Elle parviendrait sous peu à alimenter plusieurs gousses à la fois et pourrait enfin se lancer dans la création massive d'hermaphroïdes.

Pendant la dernière semaine, Lama avait éveillé une dizaine de ses créatures. Elle avait examiné chacune d'elles avec le plus grand soin en cherchant les différences les plus subtiles de leur physionomie. La déesse redoutait que les caractéristiques des espèces d'origine restent perceptibles. Elle avait constaté avec satisfaction qu'il n'en était rien. Même elle qui savait d'où venait chacune de ses créatures ne pouvait déterminer ce qu'elles avaient été auparavant. Sa technique était donc à présent au point.

Lama rentra au palais. Après un rapide passage dans ses appartements privés pour se changer, elle descendit à la salle du trône. Quand elle y arriva, elle remarqua deux soldats à l'autre extrémité de la vaste salle, en pleine discussion avec un de ses hérauts. Elle reconnut l'un d'eux, qui faisait partie de la garde du palais. L'autre, un lieutenant, lui était inconnu.

L'ayant aperçue, le héraut s'avança jusqu'au trône.

— Oh, déesse, fit-il, ce soldat arrivé en compagnie des géants souhaite obtenir une audience.

— As-tu perdu la tête ? s'écria-t-elle. Tu ne penses tout de même pas que je vais recevoir un soldat alors que j'attends une délégation ?

Le héraut se recroquevilla de frayeur.

— Pardonnez-moi, déesse, mais il s'agit d'un soldat de la garde d'une caravane partie pour le Sud la semaine dernière. Il affirme avoir des informations à vous transmettre personnellement.

Intriguée, Lama regarda le lieutenant avec une plus grande attention. Qu'est-ce qui pouvait avoir incité la commandante de la garde de la caravane à lui envoyer ce messager ? En ce moment, les voyageurs devaient avoir tout juste franchi la passe Trizone. Un message de Twilop lui confirmant son arrivée à Raglafart arriverait par bateau deux semaines plus tard au mieux.

Elle accepta de recevoir le lieutenant.

— Mon temps est précieux, lança-t-elle à brûle pourpoint, sans prendre la peine de saluer le soldat. Je t'accorde cinq minutes. Il vaut mieux pour toi les utiliser à bon escient. Pourquoi ton commandant t'a-t-il envoyé ici ?

— C'est notre officier en second qui m'envoie, expliqua le lieutenant. Notre commandante a été tuée dans une attaque de pillards à l'entrée du col de l'Armistice. Trois autres soldats ont péri, ainsi qu'une quinzaine de voyageurs.

Lama bâilla ostensiblement pour montrer son ennui.

— N'encombre pas ton récit de détails futiles. Vos petites escarmouches ne m'intéressent pas du tout.

Elle songea un moment à Twilop et se demanda si elle faisait partie des victimes de l'assaut. Il serait dommage d'avoir perdu sa première hermaphroïde, mais cette mort n'entraverait en rien son projet. Cela réglerait même la question de savoir quoi faire de cette créature imparfaite. Lama trouverait bien d'autres professeurs pour enseigner à ses hermaphroïdes.

— Non, déesse ! Seulement, le lendemain, je me suis rendu compte que des voyageurs avaient quitté la caravane. Je regrette de ne pas m'en être rendu compte immédiatement.

Lama poussa un soupir d'exaspération.

— Soldat, tu me lasses, dit-elle en omettant délibérément le grade de son interlocuteur. Viens-en au fait avant que je ne perde de ma magnanimité. Pourquoi ces gens ont-ils attiré ton attention et en quoi penses-tu que cela m'intéresse ?

— Mon commandant n'a pas précisé quelle partie de l'information était importante pour votre magnificence, expliqua rapidement le lieutenant. Il m'a assuré que vous souhaiteriez savoir ce qu'il a découvert.

— Fais vite, alors.

— Il y avait une cyclope parmi les voyageurs. Après l'attaque, elle s'est occupée des blessés. Le lendemain, elle avait quitté la caravane. Nous avons vérifié et cinq voyageurs manquent à l'appel, dont la cyclope. Il y a aussi un homme du Nord, un versev, un centaure et une femme albinos.

— Comment !

Son exclamation se répercuta à travers la salle du trône. Lama regretta aussitôt son éclat de voix. En sa qualité de déesse, elle s'efforçait de ne jamais paraître surprise, soucieuse de donner d'elle une image d'omnipotence.

Il est vrai que la dernière remarque du lieutenant était vraiment inattendue. Lama se pencha en avant, soudain intéressée. Une femme albinos ? Évidemment, il ne pouvait s'agir que de Twilop.

— Ils ont quitté la caravane pendant la traversée du col de l'Armistice ou un peu après, répéta précipitamment le lieutenant.

L'officier tremblait, croyant sans doute que la colère de Lama était dirigée contre lui.

— Cette information offre effectivement un certain intérêt, dit-elle d'une voix adoucie. Je te remercie de l'avoir soumise à mon attention. Tu as bien servi ta souveraine.

— Je vis pour servir, répondit le lieutenant.

L'officier s'efforça de se montrer impassible, mais une esquisse de sourire trahit son soulagement. Lama bénéficiait de l'expérience de huit siècles pour déchiffrer les manifestations les plus discrètes des sentiments chez autrui, parfois sans même que l'interlocuteur ne se rende compte lui-même de ce qu'il éprouvait. Personne d'autre n'avait pu voir la réaction du soldat, mais Lama n'aimait pas qu'on manifeste trop de satisfaction en sa présence.

— Il reste pourtant un point à éclaircir, ajouta-t-elle, affichant de nouveau son impassibilité coutumière. Une albinos attire l'attention. Je ne comprends pas comment vous ne vous êtes pas aperçu tout de suite de son absence.

L'officier en perdit son sourire.

— Je me confonds en excuses, fit-il. Je croyais l'avoir vue quelques heures plus tard, près de la centauresse Essena. Ce n'est que le lendemain que j'ai réalisé mon erreur. L'albinos portait un voile pour se protéger des éléments et une jeune femme l'a repris par la suite. Je me suis même demandé si elle ne servait pas de leurre pour cacher le départ de l'autre. J'en ai parlé à mon officier qui a estimé qu'il fallait vous prévenir.

— Et avec raison, lança Lama. Je te remercie de m'avoir transmis ce message. À présent, retire-toi, la délégation des géants va arriver incessamment. J'ai dit.

L'officier recula jusqu'à la sortie de la salle et quitta par une porte latérale. Provisoirement seule, Lama réfléchit à ce qui lui avait été révélé. Le centaure que Pakir avait recommandé pour servir de guide à Twilop aurait dû quitter la caravane beaucoup plus au sud, à l'intersection du Long Chemin et de la route menant à Raglafart. Rien ne justifiait ce départ précipité. Même le versev serait resté dans la caravane jusqu'à la passe Trizone avant de partir vers l'Est. Quant à une cyclope et un Viking...

Pakir ! Il ne pouvait s'agir que d'une initiative de Pakir. C'était lui qui avait recommandé Nolate et, à la réflexion, le vieux centaure était aussi à l'origine de l'idée d'envoyer Twilop à Raglafart. Il l'avait amenée habile-ment, en usant de sous-entendus, à émettre elle-même la suggestion. Lama sentit sa rage grimper d'un cran. Pakir l'avait adroitement manipulée. Lama ignorait ce que mijotait encore ce vieux fou. Mais elle comptait le savoir.

Elle appela le héraut.

— Dis à mes invités qu'une affaire très grave m'ap-pelle, expliqua-t-elle. Je les recevrai dès que possible.

Elle quitta la salle du trône en vitesse, courant presque jusqu'aux appartements de Pakir. Sa colère s'amplifiait à chacun de ses pas. Elle pesta plus que jamais contre la restriction magique qui l'empêchait de se débarrasser du vieux centaure. Il avait toujours œuvré pour contrecarrer ses projets et avait bien ri de son idée d'une nouvelle espèce. Lama pensait l'avoir confondu avec la naissance de Nossanac. Apparemment, Pakir-Skal n'acceptait pas la défaite.

Sans s'annoncer, Lama se rua dans les appartements du magicien.

— Où as-tu envoyé Twilop ? cria-t-elle.

Le sage se contenta de sourire.

— Tu ne peux me forcer à te le dire, lança-t-il.

La colère de Lama se transforma en une rage froide. Le regard calme de Pakir lui avait toujours fait cet effet. Comment parvenait-il à la désarçonner en restant parfaitement impavide ? Peu importait, elle trouverait ce que lui cachait Pakir-Skal. Même s'il fallait pour cela retourner jusqu'à la dernière pierre du Monde connu.

Personne n'avait emprunté la vieille route du Nord depuis des siècles. Sénid voyait comment, à certains endroits, le temps avait fait son œuvre. L'herbe avait poussé entre les dalles que des décennies de gel et de dégel avaient délogées. Malgré cela, la marche restait assez aisée. La forme de la chaussée demeurait apparente dans le paysage, depuis les remblais comblant les vallons aux tranchées coupant la crête des collines. Le Viking était rempli d'admiration pour le savoir-faire de ses ancêtres et déplorait qu'il soit aujourd'hui oublié. Bien des connaissances avaient disparu sous le règne de Lama.

Sénid rappela Twilop, qui s'était aventurée assez loin de la route. Elle revint, puis repartit de l'autre côté, dans la prairie sauvage qui avait succédé à la savane. La soif de découverte de l'hermaphroïde semblait ne connaître aucune limite. Elle s'émerveillait de tout ce qu'elle voyait, même de choses aussi simples qu'un champ de fleurs de fraises ou un bosquet de thuyas.

Ce fut donc elle qui vit le nouveau paysage en premier.

Twilop avait pris de l'avance sur le groupe, comme cela lui arrivait fréquemment depuis le passage du Grand Canal. Elle se tenait immobile au milieu de la route, en plein centre de la tranchée qui entaillait le sommet d'une petite colline. Sénid songea qu'il faudrait encore une fois lui rappeler de se montrer plus discrète. Elle semblait croire que, puisqu'ils avaient dépassé le canal, aucun géant ni aucun soldat du Pentacle ne pouvait les voir. C'était sans doute exact, mais il eût suffi d'une patrouille lointaine pour mettre fin à leur voyage.

Sénid rattrapa Twilop. La chaîne des monts Centraux se dressait toujours à leur gauche, tel un rempart, mais à présent d'autres montagnes se découpaient sur l'horizon, au nord et à l'est. Il sut sans consulter la carte qu'il s'agissait des monts Yétis. À partir d'ici, le tracé de la vieille route tournait vers le nord-ouest et empruntait une vallée encaissée. Ce qui signifiait qu'ils avaient parcouru plus de chemin en six jours que Nolate l'avait estimé.

— Je croyais atteindre ce point dans deux ou trois jours, souffla-t-il.

Comme le reste de l'équipe, il avait rejoint Twilop et Sénid.

— Ce sont les monts Yétis ? demanda Twilop sur un ton craintif.

— Ne t'inquiète pas, sourit Nolate. Je suis sûr que les yétis ne sont que légende.

— Et s'ils existaient ? J'ai lu toute la documentation que j'ai pu trouver à leur sujet. Ils attrapent les voyageurs et les tuent pour se nourrir de leur chair.

Sénid connaissait aussi ces histoires. Il n'y avait jamais vraiment cru. Les récits relatifs aux yétis étaient racontés depuis des générations. On leur prêtait en effet des mœurs anthropophages. Pourtant, le Viking ne connaissait personne qui eût déjà aperçu un yéti. Mais il ne fermait pas la porte à la possibilité de leur existence.

La vieille route du Nord était abandonnée depuis des siècles et les légendes affirmaient que les yétis ne quittaient jamais leur région.

— Ne t'inquiète pas trop, commenta Nolate. Nous sommes armés et savons nous défendre. D'ailleurs, aucune bête sauvage n'a tenté de s'en prendre à nous.

Twilop ne répondit pas. De toute évidence, elle n'était pas rassurée.

— D'après mon peuple, intervint Elbare, les yétis et les géants seraient issus d'une espèce commune. La séparation serait survenue dans des temps immémoriaux. Or, les géants sont végétariens.

Sénid espérait que cette théorie calmerait quelque peu les angoisses de l'hermaphroïde. Pour sa part, il préférait se répéter que les yétis appartenaient aux légendes du Monde connu, comme les trolls et les elfes. Il resterait néanmoins vigilant, juste au cas. Le danger les attendait peut-être plus loin, sur la route. Des yétis, probablement pas. Mais des bêtes sauvages, peut-être bien.

Ils n'avaient rencontré aucun animal dangereux depuis le passage du Grand Canal, seulement quelques cerfs et de petits animaux inoffensifs. Mais Sénid savait que la présence de ces proies signifiait la proximité de prédateurs. Il examinait fréquemment les abords de la route, à la recherche de traces de coyotes ou de loups. S'il n'avait rien vu jusqu'ici, il n'était tout de même pas question de baisser sa garde. Les bêtes sauvages attaquaient rarement les voyageurs, sauf si elles se sentaient menacées. La mule, en revanche, pouvait les intéresser.

Au moins, ils avaient pu chasser et économiser ainsi leurs rations. Nolate prouvait régulièrement sa grande adresse à l'arc en tuant des lapins. Le Viking avait apprécié ce changement dans leur alimentation. Les fruits séchés, le pain sec et les morceaux de viande séchée nourrissaient son voyageur, mais les repas devenaient vite monotones.

Elbare était le seul membre de l'équipe à ne pas se soucier de l'alimentation. Il avait expliqué que son espèce se nourrissait directement des nutriments du sol quand il prenait sa forme sylvestre. Tout en grimpant la pente menant à une nouvelle crête, Sénid songea que c'était une chance pour eux. Le versev n'ayant pas apporté de bagages, s'il n'en avait pas été ainsi ils auraient dû diviser en cinq parts leurs réserves de nourriture prévues pour quatre. Il franchit le sommet de la pente et s'arrêta, interdit.

La route passait près des ruines d'un bâtiment en pierre.

— Ça alors ! s'exclama-t-il. On dirait un fortin viking.

Remis de son étonnement, Sénid s'engagea sur la pente descendante. En approchant, il confirma à ses compagnons de voyage qu'ils voyaient bien un fortin comme ceux qu'édifiait son peuple avant l'avènement du Pentacle. Plusieurs de ces édifices parsemaient le Nord, sur la rive droite de l'Égral. Certains servaient même toujours, malgré les siècles écoulés. La présence de ce fortin si loin des territoires vikings avait cependant de quoi surprendre.

— J'ignorais que ton peuple avait étendu son influence aussi loin, commenta Nolate.

— Les Vikings étaient de grands bâtisseurs pendant la période prépentaclienne, rappela Twilop. Tu peux être fier de ton héritage, Sénid !

— Je le suis. Dommage que tout ça ait tant changé.

Il n'ajouta rien et fixa les ruines. Le fortin n'avait plus de toit, bien entendu, le temps ayant fait son œuvre sur les poutres. Pour le reste, il eût suffi de quelques réparations pour rendre l'édifice à sa fonction. Si des gens avaient vécu dans le voisinage, ils l'auraient certainement utilisé. Évidemment, les cinq voyageurs n'entendaient pas retaper la bâtisse, mais ce fortin représentait une opportunité à saisir. Ils dormaient au grand air depuis trop longtemps.

— Je crois que cela fera un excellent abri pour cette nuit, proposa Sénid.

L'approbation fut générale.

Nolate s'amusait de l'ironie de la situation. Cette nuit passée entre des murs, même sans toit, leur avait permis de récupérer des rigueurs du voyage. Ils auraient sans doute peu d'occasions du genre au cours de la mission. À présent, tandis qu'ils poursuivaient leur marche vers le Nord, chacun paraissait plus détendu, à l'exception de Twilop. Alors que précédemment il fallait refréner son enthousiasme, maintenant l'hermaphroïde jetait de fréquents regards aux montages à leur droite. Sa peur des yétis l'emportait sur sa curiosité.

Nolate resserra le col de son manteau. Depuis leur départ, peu après l'aube, la route grimpait presque toujours et la température baissait avec l'altitude. Aleel et Elbare, également issus des régions tropicales, appréciaient tout aussi peu que le centaure cette fraîcheur envahissante. Ils avaient fouillé dans les vêtements qu'avait fournis Essena pour équiper le versev d'un manteau et de bottes. Sénid, qui marchait en tête, avait grandi dans ce climat et supportait mieux le froid qu'eux. Twilop aussi, ce qui ne manquait pas d'étonner le centaure.

À la réflexion, il paraissait logique que leur amie endure bien le froid. Si Lama-Thiva voulait peupler le Monde connu d'hermaphroïdes, il fallait que ses créations puissent vivre sous tous les climats. Twilop serait sans doute également à l'aise dans le Sud, qu'il s'agisse de l'aridité des déserts ou de la moiteur des forêts tropicales.

Nolate se serait bien laissé aller à rêver de son pays, mais une brise encore plus froide l'arracha à ses agréables pensées. Il vit la tache blanche qui couvrait le sol, à leur droite, à l'ombre d'un rocher. De la neige ! Le centaure savait qu'ils en rencontreraient de plus en plus fréquemment, surtout si la route continuait à grimper. Il faudrait qu'il s'acclimate. Ils auraient plusieurs jours de marche sur un glacier pour rejoindre Hypérion.

Le centaure avait déjà séjourné dans le Nord une fois, à Thorhammer. Il avait été témoin d'une chute de neige qui avait blanchi le sol une journée entière avant de finir par fondre. Ses hôtes avaient répondu à son étonnement en expliquant que, l'hiver, la couche de neige dépassait le mètre d'épaisseur. Nolate s'était demandé jusqu'à quel point ils avaient exagéré. Peut-être pas tant que ça, en fin de compte.

— J'espère que nous trouverons un autre de ces fortins pour la nuit prochaine, commenta Nolate.

Au fil de leur progression, le centaure remarqua d'autres plaques de neige, de plus en plus nombreuses. Le froid parut s'intensifier, comme si cette blancheur absorbait la chaleur du soleil. Le paysage aussi changeait. Les montagnes de part et d'autre de la route étaient plus rapprochées et le chemin se faufilait entre des parois escarpées. La chaussée serpentait entre ces murailles de roc, de sorte qu'il était rarement possible de voir à plus de cent mètres. Chaque courbe révélait un paysage différent.

Sénid s'arrêta à un des tournants. Nolate crut d'abord que le Viking les attendait avant de poursuivre, mais il y avait quelque chose dans son attitude qui trahissait un profond découragement. Qu'avait pu découvrir son élève qui puisse le démoraliser ainsi ? Le centaure trotta jusqu'à son compagnon de mission. Il porta son regard en avant et le même découragement le frappa, comme s'il recevait une gifle.

À cet endroit, la route redevenait à peu près droite, ce qui permettait d'apercevoir le paysage sur plusieurs kilomètres. De longs glaciers descendaient des sommets et se rejoignaient dans la vallée. Nolate n'avait jamais vu un pareil spectacle d'aussi près. Il s'en serait passé volontiers. Malheureusement pour eux, ces fleuves de glace bloquaient toute la vallée, ainsi que la route qu'ils avaient prévu emprunter.

— Oh non ! se désola Aleel.

— Comment est-ce possible ? s'étonna Twilop. Avant la construction du Grand Canal, toute la circulation vers le Nord passait par ici.

— Ce glacier a pu se former en un siècle seulement, commenta Sénid. Il y en a de semblables au fond de la vallée de Dragonberg, où j'ai grandi.

— Oublions la leçon de géologie, coupa Elbare. Notre mission s'achève ici.

— C'est hors de question ! intervint Nolate. Twilop, peux-tu sortir la carte ? Il faut trouver un passage.

L'hermaphroïde fouilla dans les bagages et sortit le parchemin. L'équipe se pencha sur le document et scruta le dessin de chaque montagne. Il semblait bien qu'une autre vallée existât entre les sommets qu'ils voyaient à leur droite et les suivants, plus loin dans le massif. Elle n'atteignait pas le cours de l'Égral, mais c'était la seule option s'ils ne voulaient pas rebrousser chemin. Quand Nolate confirma qu'il tenterait le coup par ce passage, Twilop signala qu'ils s'enfonceraient au sein des monts Yétis.

— Nous n'avons pas vraiment le choix, rappela Nolate.

Le groupe fit donc demi-tour et chercha un passage permettant de franchir la première rangée de montagnes. Ils attaquèrent une pente très escarpée et rejoignirent rapidement la zone enneigée. Nolate peinait dans cette neige, ses pattes s'enfonçant parfois jusqu'aux genoux. Il redoubla d'efforts, mais la mule rechignait à avancer. Le centaure pensa avec ironie qu'elle faisait preuve de plus de bon sens qu'eux.

Pour miner encore un peu plus leur moral, le temps était à présent couvert. De lourds nuages gris s'accrochaient aux sommets les plus élevés et menaçaient de crever d'un instant à l'autre. Le centaure songea à la neige qu'il avait vu tomber une fois dans le Nord. Des précipitations freineraient encore plus leur progression. Ce fut cependant autre chose qui acheva de saper leur enthousiasme.

Ils arrivèrent au sommet d'une falaise qui bloquait entièrement le passage.

CHAPITRE HUIT

Sénid ne se risqua pas trop près de la falaise. S'il avait été seul, il aurait pu examiner la paroi à la recherche de prises qui auraient permis de descendre dans cette vallée. L'option aurait convenu à Aleel, Twilop et Elbare, même s'ils n'avaient aucune expérience de la montagne. Le Viking aurait pu leur montrer les bases de l'alpinisme, une possibilité totalement exclue pour Nolate et la mule. Leur condition de quadrupède les empêchait de se mesurer à une telle falaise. Cette route leur était donc fermée.

— Il faut trouver un autre passage, décida Nolate.

— Retournons à la route, répondit le Viking. Nous étudierons la carte encore une fois. S'il n'y a aucun autre passage, nous tenterons de franchir le glacier.

Ils repartirent en sens inverse, laissant la falaise derrière eux. Ce fut le moment que choisirent les nuages pour déverser sur eux une neige lourde et collante. En quelques secondes, la visibilité se réduisit à quelques dizaines de mètres. Les traces de leur ascension disparurent rapidement. Sans elles, Sénid ne pouvait plus être certain qu'ils revenaient sur leurs pas. Il se fia à ses sens pour estimer leur progression, certain qu'aussi longtemps qu'ils descendraient ils retournaient vers la vallée. Résigné, il releva le col de son manteau et se protégea les yeux de ses mains.

Il dut s'arrêter à plusieurs reprises pour attendre ses compagnons qui n'avaient pas l'habitude de ces conditions. Lors d'une de ces haltes, le Viking remarqua que l'averse de neige devenait moins forte. Il profita de l'accalmie pour jeter un regard autour d'eux. Un bloc de pierre assez imposant se démarquait sur le blanc de l'horizon, à une centaine de mètres. Un point de repère intéressant, impossible à manquer. Sauf qu'il ne se rappelait pas avoir vu ce rocher lors de leur ascension. La conclusion s'imposa à lui, évidente : ils s'étaient égarés.

— Pourquoi t'arrêtes-tu ? demanda Nolate.

Sénid hésita avant de répondre. Il ne voulait pas inquiéter ses compagnons avant d'être certain qu'ils avaient pris la mauvaise voie pour descendre. Pourtant, l'ensemble du paysage confirmait sa première impression. Le Viking réalisa bien vite qu'il ne servirait à rien de leur cacher la situation plus longtemps.

— Je ne retrouve pas notre chemin, avoua-t-il.

— Veux-tu dire que nous sommes perdus ? s'inquiéta Twilop.

Le Viking confirma d'un hochement de tête.

— Tu parles d'un guide ! s'écria Aleel. Est-ce si difficile, de suivre une piste ?

— Je voudrais t'y voir ! répliqua Sénid, vexé. La neige a effacé nos traces.

— Calmons-nous, coupa Nolate. Restons sur ce passage et nous arriverons bien à la route tôt ou tard. Ce ne sera pas au même endroit, mais au moins nous descendons.

Sénid observa le chemin devant eux. Ils se trouvaient en haut d'une large vallée évasée bordée de parois rocheuses. La pente ne paraissait pas trop abrupte, ce qui promettait une progression facile. Mais la neige semblait assez épaisse, ce qui l'inquiétait davantage. Ils devraient marcher près des rochers pour éviter les congères.

— Allons-y, fit-il.

Il précéda ses compagnons sur la pente. La marche dans les rochers n'était pas aussi facile qu'il l'avait espéré. Certains rocs affleuraient sous une mince couche de neige. Sénid préférait cependant ces inconvénients à l'épuisement qui les attendait dans une neige plus épaisse. Ses compagnons semblaient préférer la neige aux rochers, car ils s'éloignaient fréquemment des parois de la vallée. Sénid dut leur faire signe plus d'une fois de revenir.

Un grondement sourd se fit entendre, pareil à celui du tonnerre. Étrangement, ce bruit lui rappelait son enfance, à Dragonberg, quand un orage s'abattait dans la vallée. Le Viking ne s'en retourna pas moins vivement pour porter son regard vers le sommet de la pente. Il repéra aussitôt ce qu'il avait redouté. La pente semblait en mouvement, une large plaque de neige s'étant détachée pour foncer vers eux.

Il se tourna vers ses compagnons et cria :

— Courez ! C'est une avalanche !

Sénid se jeta lui-même derrière un rocher qui pouvait tous les abriter. Il se retourna, pour découvrir que les autres avaient fait exactement le contraire de ce qu'il leur avait commandé. Immobiles, ils fixaient la vague blanche qui se ruait dans leur direction. Le Viking devinait leur stupéfaction. Il leur cria de nouveau de foncer vers la paroi. Mais la neige freinait leur progression et l'avalanche arrivait trop vite. Sénid tendit la main pour attraper celle d'Aleel, qui marchait en tête du groupe. Elle n'avait plus que quelques pas à faire pour le rejoindre.

La neige avala ses compagnons.

Impuissant, Sénid regarda l'équipe disparaître dans l'éboulement de neige. Il dut se protéger lui-même, alors que l'avalanche frôlait le rocher. Un épais nuages de flocons s'éleva dans l'air et lui coupa complètement la vision. Enfin, le bruit cessa et fit place à un silence angoissant. De fines particules formant un rideau de poussière retombaient, effroyablement lentement aux yeux du Viking. Il lui fallut bien se résoudre à attendre d'y voir. Lorsqu'il se releva, il épousseta sur ses vêtements la neige qui le recouvrait.

— À l'aide !

Il reconnut le cri d'Aleel et bénit Thor d'avoir épargné au moins l'un de ses compagnons. Sénid chercha la cyclope du regard. Il l'aperçut une dizaine de mètres plus loin. Elle se dépêtrait d'une neige compacte qui l'ensevelissait jusqu'à la taille. Un peu plus bas, le Viking repéra Nolate dont seul le torse dépassait. Plus loin encore, un bras sortait de la neige. D'après la couleur du gant, il s'agissait de Twilop. Elbare restait hors de vue.

Aleel réussit à se dégager avant que Sénid arrive. Elle le suivit pour rejoindre Nolate, qui se débattait en vain afin d'échapper à l'étau blanc qui le retenait prisonnier. Ils creusèrent la neige et déplacèrent des blocs durcis jusqu'à ce que le centaure parvienne à s'arracher d'une ruade. Voyant qu'il n'avait pas été blessé, Sénid suivit la cyclope qui s'était déjà précipitée vers la main tendue de Twilop. Aleel s'agenouilla et serra la main. L'hermaphroïde réagit à ce contact ; elle était restée consciente.

— Elle est vivante, s'écria Aleel.

Il l'aida à creuser pour trouver la tête de l'hermaphroïde et dégager son visage. Quand ce fut fait, Twilop recracha un peu de neige et prit une profonde inspiration. Aleel déblaya l'amas blanc jusqu'aux épaules de la prisonnière, pendant que Sénid agrandissait le trou pour soulager la cage thoracique de la pression qu'exerçait la neige.

— Peux-tu me tendre ton autre bras ? demanda Aleel. Nous allons te tirer de là.

— Je ne veux pas perdre Elbare, murmura l'hermaphroïde.

Sénid fut impressionné. En dépit du mur de neige qui fonçait sur eux, Twilop avait trouvé le temps de retenir Elbare. À sa place, beaucoup se seraient contentés de courir se mettre à l'abri. Sans doute avait-elle agi plus par ignorance de l'impact d'une avalanche que par bravoure, mais seul le résultat comptait. Ils creusèrent jusqu'à retrouver le versev, qui acheva de se dégager par lui-même lorsque le trou fut assez large. Elbare semblait avoir peu souffert de son séjour sous la neige. Il devait commencer à s'habituer au froid.

Twilop afficha son soulagement.

— Nous sommes saufs !

— Ne crois pas ça, répliqua Nolate. Notre situation est pire que jamais.

— Mais… Je ne comprends pas. Aucun de nous n'est blessé. C'est une bonne chose, non ?

Sénid soupira.

— Évidemment, fit-il. Cependant, maître Nolate a raison. Nous avons échappé à l'avalanche, mais nous avons perdu presque tous nos bagages.

Twilop pâlit en réalisant ce que le centaure et le Viking avaient tout de suite compris. Sénid n'aurait pas cru que son teint pouvait blanchir davantage. L'hermaphroïde se tourna vers le champ de neige, les épaules soudain voûtées par le désespoir. Oui, ils étaient tous vivants, et oui, ils étaient indemnes. Du moins, les compagnons de voyage. Le sixième membre de leur équipée reposait quelque part sous cette épaisse couche de neige.

— La mule ! se plaignit Twilop.

Nolate aurait aimé trouver les mots pour rassurer l'hermaphroïde. Mais la perte de leurs bagages les plaçait dans une position désespérée. Sénid et lui-même étaient les seuls à porter un sac sur leur dos. Les autres avaient préféré confier leur paquetage à la mule pour faciliter leur progression pendant la descente.

Le centaure savait qu'il ne lui restait que quelques vivres dans son sac. Il avait aussi son épée, son arc et des flèches dans son carquois, mais rien leur permettant de s'opposer à leur ennemi actuel, le climat. Pour le reste, ils n'avaient plus que les vêtements qu'ils portaient sur eux. Les habits de rechange fournis par Essena, les tentes, les couvertures et leurs ultimes provisions étaient ensevelis quelque part, sous un couvert de neige durcie. Ils étaient démunis, perdus dans des montagnes hostiles.

Il se demandait ce que son élève humain portait sur lui.

— Je n'ai plus qu'une couverture et quelques morceaux de viande séchée, annonça Sénid, avant même que Nolate ne l'interroge. C'est insuffisant pour continuer.

— Nous ne pouvons tout de même pas renoncer ! protesta Aleel. L'enjeu est bien trop important. Cherchons la mule.

— Elle doit être ensevelie sous plusieurs mètres de neige, expliqua le Viking. La coulée peut aussi l'avoir emportée sur une bonne distance. Même si nous avions l'équipement pour ce genre de recherche, ce serait comme espérer trouver une aiguille dans une meule de foin.

— Il faut remplacer ce que nous avons perdu, intervint Elbare.

Facile à dire.

— Il importe avant tout de quitter cette montagne, rappela Sénid. Chaque seconde que nous perdons diminue nos chances de survie.

— Tu as raison, approuva Nolate. Nous déciderons de ce qu'il convient de faire une fois de retour dans la vallée.

Sur cette résolution, l'équipe repartit. Cette fois, Sénid surprit Nolate en s'éloignant de quelques mètres des rochers pour marcher sur la coulée de neige de l'avalanche. Le centaure s'en inquiéta, redoutant une répétition du drame. Il se demanda si le Viking prenait le risque pour leur faire quitter la montagne le plus vite possible ou s'il jugeait que toute la neige instable était descendue, ce qui écartait le danger dans l'immédiat. Il résolut de se fier à son élève. Sénid venait du Nord et avait une expérience de la neige bien supérieure à la sienne. S'il ne redoutait plus d'avalanche, pourquoi s'en serait-il soucié, lui ?

Aleel, qui suivait le Viking, ne s'enfonçait plus que jusqu'aux chevilles. Il en allait de même d'Elbare et de Twilop, au milieu du groupe. Nolate, qui fermait la marche, appréciait lui aussi cette neige durcie. En dépit de son poids plus élevé et de ses sabots, le centaure ne s'enfonçait presque pas. Pourtant, la progression restait assez lente. Tous marchaient la tête basse, sans un mot. Nolate ne voyait pas ce qui pourrait les démoraliser encore plus.

La neige se remit à tomber.

Aux flocons épars succéda vite une averse compacte. Les rochers bordant le val devinrent autant de fantômes indistincts. À travers ce brouillard de blancheur, Nolate ne pouvait même plus évaluer s'ils descendaient toujours. Il ne pouvait que se contenter de marcher, encore et encore. La neige qui tombait était toutefois différente de celle qu'ils avaient rencontrée plus tôt. Les flocons étaient plus volumineux et collaient aux vêtements. Fréquemment, le centaure se retournait et balayait cette couche blanche de la main pour éviter qu'elle ne s'accumule sur sa croupe.

Le froid parut pourtant s'intensifier. Nolate s'en étonna, jusqu'à ce qu'il s'avise que cette neige fondait sur son manteau et l'imbibait d'eau. Il songea aussitôt aux problèmes d'engelures dont il avait entendu parler. Risquait-il des brûlures par le froid qui pourraient nécessiter une amputation ? Il fallait sûrement un certain temps avant que de pareils extrêmes ne deviennent réalités. Tant qu'il restait actif, le risque devait être moins grand.

Elbare, qui précédait l'hermaphroïde, paraissait éprouver de plus en plus de difficulté à marcher. Il trébucha et tomba presque. Ils ne pouvaient s'arrêter, sous peine de geler sur place. Pourtant, une courte pause leur permettrait peut-être de reprendre assez de forces pour sortir de cet enfer blanc.

— Arrêtons-nous deux minutes pour souffler, suggéra le centaure.

Twilop et Elbare ne se le firent pas répéter. Nolate les rejoignit en secouant la neige qui recouvrait son manteau. Étonné, il la regarda s'accumuler rapidement sur sa manche. Était-ce une impression où si la neige tombait plus dru encore ? Un coup d'œil autour de lui imposa l'évidence : la neige tombait avec une telle intensité qu'il ne voyait plus rien d'autre que cette blancheur. Impossible même de distinguer le ciel de la surface enneigée. Le reste de la descente s'annonçait plus difficile encore.

Et il y avait pire.

— Où sont Sénid et Aleel ? s'écria-t-il.

Twilop et Elbare regardèrent dans tous les sens.

— Ils ne se sont pas arrêtés, commenta le versev.

— Il faut les rattraper ! décida l'hermaphroïde. Cherchons chacun de notre côté.

— Non ! objecta Nolate. Nous risquerions de nous perdre à notre tour. Il faut à tout prix rester les uns près des autres, ne pas se perdre de vue.

Ils crièrent le nom de leurs compagnons, mais ne reçurent aucune réponse. Nolate pria Equus ardemment. Peut-être les verrait-il surgir d'un instant à l'autre à travers le brouillard. Rien de tel ne se passa. Lentement, il se résigna à accepter le pire, ce qu'il redoutait depuis le départ de Capitalia : la perte d'un membre de son équipe. Deux à la fois, c'était vraiment un coup dur. Toutefois, il n'avait jamais eu l'optimisme de croire qu'ils survivraient tous à la mission.

Sans compter qu'ils n'étaient pas eux-mêmes tirés d'affaire.

✹✹✹

Aleel se savait en forme. À Capitalia, elle avait appris le combat au corps à corps et développé sa résistance physique. Maître Pakir s'était assuré qu'elle recevait un enseignement de qualité. Pourtant, cette marche l'avait épuisée. Ici, dans la montagne, tout semblait se liguer pour accentuer la fatigue. La neige dans laquelle il fallait marcher, le froid, et surtout ces flocons qui tombaient encore et encore. L'absence complète de visibilité était ce qui la démoralisait le plus. Comment savoir s'ils progressaient vraiment ?

— Sénid ! Faisons une pause. Sénid ?

Elle avait dû élever la voix pour se faire entendre. Depuis qu'ils s'étaient remis en route, après la perte de la mule, le temps ne faisait qu'empirer. À la neige qui réduisait la visibilité s'ajoutait à présent un vent qui sifflait à ses oreilles. Il poussait parfois les flocons vers son visage et lui coupait la respiration. Ayant vu le Viking relever le col de son manteau, Aleel en avait fait autant. C'était mieux, mais encore pénible par moments.

Sénid se tourna à demi vers elle.

— Nous ne pouvons pas nous arrêter, répondit le Viking.

— Il ne servira à rien de marcher jusqu'à épuisement, s'objecta Aleel. Deux minutes pour reprendre notre souffle, je n'en demande pas plus.

— D'accord. Deux minutes.

Aleel fit les deux pas qui la séparaient de Sénid. Elle respira à fond à quelques reprises pour dissiper la fatigue. La cyclope se tourna vers les camarades qui suivaient… ou plutôt qui auraient dû suivre. Elle pensa d'abord qu'une bourrasque un peu violente les dissimulait à son regard. Lorsque le vent se calma un peu, elle réalisa qu'ils ne se trouvaient nulle part en vue.

— Où sont-ils ?

Pour seule réponse, le Viking se mit à crier les noms des absents. Aleel joignit ses efforts à ceux de Sénid. Elle scruta la tempête dans l'espoir d'entrapercevoir les trois silhouettes à travers les flocons. Elle aurait accueilli avec soulagement que deux d'entre eux surgissent, un seul, même. Mais les secondes s'écoulèrent et Aleel dut se résigner à accepter l'évidence : Elbare, Nolate et Twilop s'étaient égarés.

Sénid, le premier, interrompit ses appels.

— Ça ne sert plus à rien, expliqua-t-il. Ils peuvent se trouver n'importe où dans cette vallée. Qui sait quand ils ont cessé de nous suivre ?

Aleel abandonna à son tour, furieuse de se sentir impuissante. Dans leur équipe, Sénid était le seul à connaître le froid et la neige. Mais elle n'avait pas besoin de le questionner pour deviner le sort affreux qui attendait les disparus. Ils allaient marcher jusqu'à ce qu'ils s'écroulent et gèlent sur place, épuisés. La neige couvrirait bien vite les corps d'un sinistre linceul blanc. Avaient-ils réussi à rester groupés ou étaient-ils en plus séparés les uns des autres ? À l'heure de la mort, cela n'aurait plus beaucoup d'importance.

Une bourrasque jeta un paquet de neige au visage d'Aleel, lui rappelant que leur propre sort n'était guère plus enviable. Même si elle avait la chance d'être en compagnie de Sénid et de bénéficier de son expérience, la cyclope n'était même pas sûre qu'ils descendaient toujours. Ils avaient peut-être tourné en rond depuis le début de la tempête...

— Partons ! cria Sénid. Il n'y a plus rien à faire ici. La nuit va tomber bientôt et, si nous ne trouvons pas un refuge, c'en sera fait de nous.

Docile, Aleel suivit le Viking. Elle réalisa qu'effectivement, tout devenait de plus en plus sombre autour d'eux. Il lui semblait que son courage disparaissait avec la lumière. Combien de temps résisterait-elle avant de tomber, à bout de forces ? À coup sûr l'échéance approchait pour elle aussi. Aleel n'avait jamais vraiment songé à sa propre fin. Elle n'aurait jamais cru mourir si jeune, et encore moins dans ce coin hostile du Monde connu.

Dire que c'était l'été...

Elle se heurta à Sénid, qui l'avait prise complètement par surprise en s'immobilisant.

— Inutile d'aller plus loin, dit-il. Nous passerons la nuit ici, derrière ce rocher.

Aleel distingua une masse sombre que le Viking signalait de sa main tendue.

— Comment un rocher pourrait-il servir d'abri ? demanda Aleel.

À coup sûr, Sénid avait perdu la raison. Elle le suivit cependant et regarda son guide sortir son épée pour taillader la neige. Il forma des blocs avec lesquels il entreprit de construire un mur. Devinant enfin ses intentions, elle l'aida à compléter l'assemblage. En quelques minutes, ils disposèrent d'une certaine protection contre le vent et le froid.

Le Viking fouilla dans son sac et en sortit une couverture.

— Elle n'est pas très grande, commenta-t-il, mais il faudra nous en contenter.

Aleel n'en croyait pas ses oreilles.

— Nous ? s'insurgea-t-elle. Tu ne penses quand même pas que je vais dormir avec toi ?

— Il nous faut de la chaleur, expliqua Sénid. Séparément, nous allons mourir gelés tous les deux. Tel est le prix de notre survie !

Aleel hésita encore, mais il lui fallut bien se rendre aux arguments de son compagnon de voyage. Elle se glissa sous la couverture que Sénid referma sur eux. Plutôt mal à l'aise, elle se raidit lorsque le Viking se colla tout contre elle. Rien dans son éducation ne l'avait préparée à une pareille promiscuité. Bien sûr, elle avait appris à connaître Sénid depuis le départ de Capitalia, mais entre dormir près du même feu de camp et partager la même couverture, il y avait de la marge !

Aleel sentit le froid perdre de son mordant. La chaleur de leurs corps faisait de l'espace sous la couverture un endroit presque agréable. Le mur arrêtait efficacement le vent. Les quelques flocons qui franchissaient les blocs de neige tombaient lentement autour d'eux. Il lui semblait que la tempête se calmait enfin.

Le souffle de Sénid tout contre son oreille ne pouvait lui faire oublier l'aspect singulier de leur situation. Le Viking avait raison, évidemment ; cette promiscuité était essentielle à leur survie. Peut-être serait-elle-même insuffisante et qu'ils mourraient au cours de la nuit ? Elle se demanda si leur disparition resterait à jamais un mystère ou si un jour on retrouverait leurs corps collés l'un à l'autre. L'évocation la fit presque rire.

Qu'en penseraient donc ceux de son peuple ?

Twilop trébucha contre une congère. Elle réussit de justesse à rester debout. Depuis qu'ils avaient perdu la trace de la cyclope et de l'humain, ils marchaient dans la tempête sans autre but que de survivre. Nolate avait affirmé qu'ils mourraient s'ils s'arrêtaient. Le froid qui transperçait ses vêtements ne laissait planer aucun doute sur le sort qui les attendait s'ils ne trouvaient pas un abri. Malgré l'épuisement, il fallait continuer à marcher.

Twilop eut une pensée pour Aleel et Sénid. La cyclope, en particulier, s'était toujours montrée aimable avec elle, elle lui avait appris les rudiments de la lutte au corps à corps. L'hermaphroïde n'avait pas manifesté de grandes dispositions pour le combat, mais ce contact avait fait d'elles des amies. Du moins, Twilop voulait le croire. Il lui était difficilement supportable de l'imaginer étendue, inerte, dans cette neige.

Elle tenta de se rassurer en se répétant qu'Aleel était sans doute en compagnie de Sénid. Le Viking avait l'expérience de ces conditions et Twilop songea qu'elle devrait d'abord s'inquiéter de leur sort à tous trois. Nolate s'était efforcé de leur remonter le moral en comparant cette neige aux tempêtes de sable du Sud. Il avait probablement raison en affirmant que la neige irritait moins la peau que le sable.

Le froid restait donc le principal problème.

Twilop s'inquiétait des conséquences de ce froid sur ses amis. Elle-même souffrait de débuts d'engelures, alors qu'elle résistait mieux à ce climat rigoureux. Nolate lui avait précisément demandé de fermer la marche, craignant qu'Elbare ou lui ne ralentissent et se perdent. Twilop appréciait la sagesse du centaure lorsqu'elle se heurta au versev qui venait de s'arrêter.

La raison lui en apparut entre deux bourrasques, sous la forme d'une paroi rocheuse qui leur bloquait la route. Twilop eut d'abord une réaction de découragement. Leur marche s'arrêtait-elle donc ici ? Mais elle ne tarda pas à se faire une idée plus précise des choses. Elle songea que cette muraille ne pouvait être que celle qui bordait la vallée. Ils n'auraient qu'à la longer pour ne plus tourner en rond. Mieux encore, quelques kilomètres de marche devraient les amener au bas de la montagne, loin de ce froid et de cette neige.

Encore fallait-il avoir la force de continuer.

Le centaure fit quelques pas vers la paroi verticale. Elbare s'efforça de le suivre, mais il trébucha et s'étendit de tout son long dans la neige. Voyant qu'il ne tentait même pas de se relever, Twilop s'empressa de venir à son aide. Elle dut se débrouiller seule pour remettre sur pied l'être végétal, car Nolate la regardait faire, trop épuisé pour lui prêter main-forte. Le centaure tremblait tant sur ses pattes que l'hermaphroïde prit peur. D'un instant à l'autre, il allait s'effondrer à son tour. Et elle n'était pas assez vigoureuse pour le relever.

Quand Elbare fut enfin debout, Twilop l'aida à rejoindre le centaure. Ils se traînèrent jusqu'au pied de la falaise et profitèrent de cette paroi qui bloquait en partie le vent pour récupérer un peu avant de repartir. Ils ne parcoururent que quelques mètres avant qu'Elbare ne tombe de nouveau. Cette fois, Twilop dut s'y reprendre à trois reprises avant de réussir à relever le versev.

— Si seulement nous pouvions trouver un abri dans cette muraille, se lamenta Elbare. Nous pourrions nous protéger de cette neige.

Le versev s'enfonça soudain dans une congère. En marchant, il avait brisé une croûte de neige qui dissimulait une ouverture au pied de la paroi. Twilop vint aider Elbare à se dégager. Une fois qu'il fut hors du trou, l'hermaphroïde réalisa que l'ouverture se prolongeait dans la muraille. Il lui fallut quelques secondes pour deviner la nature de ce qu'elle voyait. Elle sut alors que la chance leur avait souri. Une caverne ! Elbare avait trouvé une caverne.

Twilop n'attendit pas que le versev lui fasse signe de le rejoindre. Pendant qu'il dégageait l'entrée, elle se tourna vers Nolate qui attendait quelques mètres plus loin. Le centaure s'appuyait contre le rocher le plus près et semblait somnoler. Elle se précipita vers lui et le secoua, doucement d'abord, puis avec plus de vigueur.

— Venez, ce n'est pas le moment de renoncer !

— Non, je suis épuisé. Laissez-moi. Il faut que je dorme…

— Elbare a trouvé une caverne, révéla-t-elle. Nous y serons à l'abri.

Elle dut secouer le centaure à plusieurs reprises pour le réveiller. Il frissonna, signe que le froid l'affectait de nouveau. Twilop passa une main sous son épaule et l'aida à marcher jusqu'à la caverne. L'entrée était plutôt étroite, mais le centaure avait suffisamment récupéré pour franchir le seuil de l'abri providentiel. Elle entra à son tour. L'obscurité était presque totale et il fallut du temps à ses yeux pour s'adapter à cette pénombre.

La caverne ne s'enfonçait que d'une dizaine de mètres dans la falaise. Elle faisait trois ou quatre mètres de large au niveau du sol et son plafond restait invisible dans l'obscurité. Le centaure entreprit aussitôt d'allumer un feu. Les étincelles du silex enflammèrent le bout de tissu qu'il avait arraché à son manteau. Twilop découvrit alors la pyramide qu'il avait bâtie avec les flèches qui constituaient l'unique bois disponible. Elle apprécia son ingéniosité. De toute façon, les flèches qu'il avait sauvées de l'avalanche ne servaient à rien ici.

— Il faut trouver du combustible ! lança Nolate. Ce feu ne durera que quelques minutes.

— Il y a de la mousse sèche sur les rochers, répondit Twilop.

Elle entreprit d'en arracher une bonne quantité, que le centaure déposa petit à petit dans le feu. La mousse dégagea une fumée assez dense, qui grimpait heureusement vers le sommet de la caverne. Elbare s'installa près du feu et s'endormit aussitôt. Nolate se coucha près des flammes dont il apprécia la chaleur et s'endormit à son tour. Twilop resta donc seule pour nourrir le feu. Elle avait appris à s'en occuper, pendant le voyage. Mais elle était épuisée, elle aussi. Pourquoi ne pas fermer les yeux un instant, juste un instant, pour se reposer ?

Twilop sursauta. Elle croyait avoir fermé les paupières quelques secondes seulement et voilà qu'il ne restait du feu que de minuscules braises rougeoyantes. Elle jeta dessus les dernières poignées de mousse, ce qui n'eut pour seul effet que de dégager une fumée épaisse. En toussotant, elle se coucha à son tour, sachant que cette fois, elle n'avait plus la force de se relever. Sa fatigue était telle que sa vue commençait à devenir trouble. L'épuisement lui donnait des visions.

Il lui semblait que des silhouettes massives venaient d'entrer dans la caverne.

CHAPITRE NEUF

Nolate sentait que quelqu'un le secouait pour le réveiller, mais il préférait garder les yeux fermés et profiter de l'agréable chaleur de sa couverture. Pourquoi voulait-on le priver d'un repos largement mérité ? La marche dans la neige avait été si pénible qu'il devait récupérer. En évoquant leur progression dans la tempête, il se rappela soudain où il se trouvait. En plus, d'étranges souvenirs, très confus, s'imposaient à son esprit. Il se rappelait vaguement des silhouettes massives qui le transportaient. Des géants ? Ils n'auraient pas risqué leurs vies pour sauver un centaure.

Et pourquoi des colosses se seraient-ils retrouvés dans ces montagnes ?

Il ouvrit les yeux. Son regard se posa sur Twilop, qui se tenait penchée sur lui. Elle se redressa, affichant un soulagement évident. Nolate ignorait pourquoi elle le réveillait, mais il s'étonna bien davantage lorsqu'il prit conscience de sa tenue vestimentaire. Ou plutôt de l'absence d'une telle tenue. L'hermaphroïde serrait contre elle une couverture faite d'une fourrure épaisse. Ses jambes dénudées laissaient à penser qu'elle ne portait aucun vêtement dessous.

— Enfin ! soupira-t-elle. Je croyais que vous ne vous réveilleriez jamais.

— Que se passe-t-il ?

— Je l'ignore. Je ne sais pas ce qui s'est passé. Je me suis assoupie et j'ai eu l'impression que des êtres très forts me transportaient. À mon réveil, j'étais couchée sur un lit de branches, entre deux fourrures... Où sommes-nous ?

Nolate renonça à regret à la chaleur de sa couche et se redressa pour étudier l'endroit où on les avait amenés. Un feu de bois et de tourbe éclairait une caverne bien plus vaste que l'anfractuosité qu'avait dénichée Elbare. Ces combustibles devaient être impossibles à trouver dans ces montagnes, ce qui signifiait que les habitants de ces cavernes parcouraient de grandes distances pour renouveler leurs réserves. Quelque chose de sérieux avait dû les pousser à s'installer dans un coin aussi reculé.

La caverne, de forme grossièrement ovale, était aménagée pour accueillir des habitants. On avait taillé le roc de son plancher pour en raboter les aspérités. Des rochers plats servaient de table et de bancs, selon ce que Nolate devinait à leur disposition. Des marches permettaient de passer de la grotte à un couloir totalement obscur. Donnait-il sur l'extérieur ou dans une autre salle ? Impossible de le savoir. La taille des marches, en revanche, confirmait à Nolate l'impensable : des géants vivaient ici. Ils les avaient sauvés d'une mort certaine.

Twilop et lui, du moins.

— Où est Elbare ? demanda-t-il.

— C'est pour cela que je vous ai réveillé, répondit l'hermaphroïde. Il n'arrive pas à se lever.

Elbare se trouvait de l'autre côté du feu. Nolate se précipita sur leur ami végétal, qui le regarda approcher d'un regard vague. Inquiet, le centaure l'examina. Elbare avait le bout des doigts marqué par le gel et ses orteils paraissaient aussi atteints. Effarée, Twilop fixait les membres noircis.

— Les versevs se comparent aux animaux à sang froid, expliqua Nolate. La rigueur du climat a davantage incommodé Elbare que nous. L'absence de chaleur de son organisme a permis au gel d'affecter plus rapidement la circulation dans ses extrémités.

— Vous voulez dire… qu'il va perdre ses doigts ?

— Je ne crois pas. Regarde… Il les bouge ! Il lui faudra tout de même quelques jours pour récupérer.

— Je vais bien, intervint le versev. C'est douloureux, mais je vais bien. Où sommes-nous ?

Nolate n'avait pas plus de réponse à lui fournir qu'à Twilop quelques minutes plus tôt. Ils n'apprendraient rien de plus tant que leurs hôtes ne viendraient pas les voir. Le centaure aurait aimé se réjouir du fait qu'ils étaient vivants tous les trois, mais la satisfaction de savoir Twilop et Elbare sauvés ne pouvait lui faire oublier la perte de leurs deux autres camarades. Il ne parvenait pas encore vraiment à y croire.

— Elle semble sèche, déclara Twilop.

Nolate se retourna vers l'hermaphroïde, qui tenait sa tunique à la main. Elle l'avait prise sur un petit rocher, près du feu. Leurs sauveteurs avaient en effet disposé les affaires des rescapés sur des pierres pour les mettre à sécher. Ils avaient réalisé que les vêtements trempés de sueurs et de neige fondue empêcheraient les survivants de se réchauffer. Twilop se retira derrière la pierre qui servait de table et se rhabilla.

Des bruits de pas attirèrent son attention vers le couloir. Deux silhouettes massives firent leur apparition. Des géants, mais Nolate n'en avait jamais vu ayant cette apparence. Ils paraissaient plus petits que ceux qu'il avait toujours côtoyés, avec un pelage long et fourni fort pratique pour supporter le climat glacial de ces montagnes.

Ils s'arrêtèrent en constatant que les rescapés étaient réveillés. Le géant de gauche s'adressa rapidement à l'autre. Nolate connaissait le géantien, mais il ne parvint pas à comprendre ce que ces deux-là se disaient. Ils parlaient trop vite et à voix basse. Le géant de droite hocha la tête et repartit dans le corridor. L'autre resta dans l'encadrement de la porte. Il regardait le centaure sans laisser paraître la moindre hostilité. C'était inhabituel pour un géant, était donné l'inimitié qui sévissait entre les deux espèces.

Le deuxième colosse velu revint, accompagné de deux autres troglodytes. L'un d'eux portait une marmite, l'autre des plats et des ustensiles en bois. Les créatures posèrent la marmite près de la table et se retirèrent. Resté seul avec ses visiteurs improvisés, le géant remplit un bol qu'il remit au centaure. Nolate le remercia en géantien, ce qui fit froncer les sourcils de son vis-à-vis.

— Étrange, fit Nolate. J'ai l'impression qu'il ne m'a pas compris.

— Ce ne sont pas des géants, répondit Twilop, d'une voix blanche. Ce sont des yétis.

Elbare fit un nouvel effort pour se lever. Cette fois, en dépit de la douleur, il parvint à se mettre debout. Chaque pas lui donnait toutefois l'impression de marcher sur des charbons ardents. Il rejoignit Nolate et Twilop, qui réagissaient de façon très différente face à leurs sauveteurs. Le centaure paraissait plutôt intrigué, alors que l'hermaphroïde semblait sur le point de s'évanouir tant elle tremblait de frayeur. Le renversement des rôles avait quelque chose d'amusant. Depuis le début du voyage, c'était toujours Twilop qui se montrait curieuse de tout.

— De toutes les choses que nous pouvions vivre dans cette expédition, ironisa Nolate, j'étais loin d'imaginer celle-là.

— Que vont-ils faire de nous ? s'inquiéta l'herma-phroïde.

— Je ne pense pas que nous ayons à nous inquiéter, dit Nolate en souriant. S'ils nous avaient voulu du mal, ils ne nous auraient pas secourus.

Cette logique ne semblait pas rassurer Twilop.

Ayant constaté que le troisième rescapé s'était levé à son tour, la créature se rendit à la marmite toujours près du feu et remplit une écuelle qu'elle apporta au versev. Elbare remercia le yéti et but le bouillon de bon appétit, bien qu'il eût préféré se nourrir à la manière des siens. Il n'y avait malheureusement aucun sol meuble dans lequel planter ses orteils.

Nolate s'adressa au yéti.

— Nous vous remercions de votre accueil, lança le centaure. À présent, nous allons nous remettre en route.

— *Nek mayanok*, répondit leur hôte.

Il quitta la caverne.

— Communiquer ne sera pas facile, commenta le centaure. Je ne reconnais pas cette langue.

— Moi non plus, dit Twilop. J'en ai pourtant étudié plusieurs. Ces créatures ne parlent pas l'ancien, en tout cas. Je ne reconnais aucun des mots qu'ils utilisent. Je suis désolée, j'espérais vous être enfin utile dans ce voyage.

— Nous n'avons même pas encore rejoint Hypérion, où maître Pakir a envoyé un des morceaux, rappela Nolate. Ne t'inquiète pas, tu auras bien des occasions de te rendre utile !

Le yéti revint, interrompant le fil de leur conversation. Il était accompagné cette fois d'un compatriote, un mâle à la fourrure blanche. Ce yéti semblait très âgé ; peut-être était-ce le doyen de leur communauté. S'ils vivaient en clans à la manière des géants, il serait leur interlocuteur... pour peu qu'ils parviennent à comprendre leur langue.

— *Mayanok ?* lança le vieux yéti. *Yo Tebit. Fi klerg da filikrig bli sou w palagroutre mayanoka.*

— Curieux, fit Elbare. On dirait du géantien, mais fortement déformé.

— Les langues changent avec le temps, commenta Twilop. Malheureusement, je ne connais pas le géantien, même actuel. Lama a toujours refusé que je l'apprenne.

— Je vais essayer.

Le versev se tourna vers le doyen.

— *Mayank*, dit-il. *Jo Elbare. Vi kerel di filig ?*

— *Filig ? Ha ! Filikrig. Bich. Yo Tebit.*

Le yéti parla lentement, Elbare l'interrompant à quelques reprises pour lui faire répéter un mot. Il se familiarisa cependant assez rapidement avec l'accent et les mots qui avaient évolué différemment de ceux du géantien. Quelques minutes plus tard, il se tourna vers le centaure et l'hermaphroïde.

— Notre vis-à-vis se nomme Tebit, expliqua le versev. Il appartient au peuple des Ruorrs. Il affirme sa satisfaction de nous voir tous vivants et en assez bonne santé. Je l'ai remercié de nous avoir sauvé la vie. Il voudrait néanmoins savoir ce que nous faisions dans leurs montagnes.

— Dis-leur que nous nous sommes perdus sur la route de Thorhammer, répondit Nolate.

Évidemment, ils n'allaient pas révéler à leur hôte qu'ils s'étaient lancés dans une mission visant à détrôner Lama-Thiva. Elbare se contenta de mentionner la capitale du Nord et parla d'un pèlerinage afin d'éluder toutes questions supplémentaires. Le doyen s'étonna cependant de leur présence sur la vieille route, car la légende n'y mentionnait aucun voyageur depuis des générations. La progression des glaciers les avait confortés dans l'assurance que personne ne viendrait plus dans ces montagnes.

— Notre hôte raconte que leurs légendes leur ont appris à se méfier des étrangers, expliqua le versev. Ils nous ont donc surveillés depuis notre passage au fortin.

— Au fortin, dis-tu ? fit Twilop. Ils nous épiaient depuis tout ce temps ?

— Exactement. En fait, ils ont un différend avec les géants et ne seraient pas intervenus si l'un d'eux nous avait accompagnés.

— *Ba toruk da qwerdy irm*, fit le yéti. *Yof semmos enn gla vecran bli forek.*

— *Vecran bli forek !* s'écria Elbare, n'en revenant simplement pas. *Jo drijelk, plize.*

Il se tourna vers ses camarades, sans trouver les mots pour exprimer sa joie.

— Qu'y a-t-il ? s'enquit Twilop.

— Il a dit que nos compagnons de voyage se remettent de leur épreuve dans une autre caverne ! leur révéla-t-il enfin.

Ses compagnons partagèrent sa stupeur.

— Aleel et Sénid ! lancèrent-ils d'une même voix.

— Demande-lui de nous mener à eux ! ajouta Nolate.

— C'est ce que j'ai fait.

Le yéti leur fit signe de le suivre. Il les précéda dans un des couloirs. Elbare remarqua les marques d'outils révélant que ce passage avait été creusé dans le roc de la montagne. D'autres corridors semblables formaient un vaste réseau qui reliait plusieurs cavernes. Les yétis avaient aménagé un véritable village souterrain. Décidément, ils n'avaient rien des brutes sanguinaires que l'hermaphroïde avait décrites en se basant sur des écrits anciens !

Leur guide les fit entrer dans une autre salle, un peu plus petite que celle dans laquelle ils s'étaient réveillés. Le versev aperçut le feu au centre de la caverne et une disposition des éléments d'ameublements à peu près similaire. Il vit aussi Aleel et Sénid, toujours endormis, près du feu. Nolate rougit en les apercevant. Twilop, elle, partit d'un éclat de rire nerveux. Elbare hocha la tête en songeant à la complexité des réactions des êtres d'origines animales. Il anticipait celles de la cyclope et de l'humain quand ils se réveilleraient.

Les yétis les avaient couchés ensemble sous une même couverture.

Aleel avait l'impression d'être de retour à la maison. Elle était réveillée, mais elle gardait l'œil fermé, décidée à faire la grasse matinée. La cyclope savait qu'elle ne pourrait rester couchée encore bien longtemps en raison de ses obligations. Le confort de son lit et la douceur de la couverture lui avaient manqué pendant son séjour loin d'Œculus. Aleel se demanda un moment pourquoi elle était partie.

Tout à coup, elle se rappela la mission, l'avalanche et la tempête. Ils avaient perdu leurs compagnons, puis ils s'étaient avérés incapables de trouver un chemin pour quitter le champ de neige. Épuisés par une trop longue marche dans la tourmente, Sénid et elle avaient été contraints de dormir sous une même couverture pour ne pas mourir de froid.

Aleel n'aurait jamais cru que le partage de leur chaleur corporelle se révélerait si efficace. Il ne lui avait pas semblé non plus que la couverture fut si douce au toucher. Son contact sur sa peau était un véritable délice après ces semaines passées en pleine nature. Mais comment

pouvait-elle sentir ce contact à travers ses vêtements ?
Aleel ouvrit l'œil. Elle vit Sénid, toujours endormi,
étendu tout contre elle.

Elle réalisa aussi qu'ils étaient nus.

— Non, mais, ça va pas ? cria-t-elle, indignée.
Obsédé !

Elle recula sur les mains en attrapant la couverture
pour se couvrir tant bien que mal. En découvrant la
présence de témoins, elle se sentit particulièrement
embarrassée. Elle enroula précipitamment la couverture
autour d'elle et se leva pour chercher une issue. Sans
réfléchir, elle se précipita à la course dans un corridor
pour s'arrêter quelques pas plus loin. Que se passait-
il donc ?

Aleel se tenait debout au centre d'un couloir à l'aspect étrange. Il ne lui fallut que quelques secondes
pour comprendre qu'il s'agissait d'une caverne. La
cyclope n'avait cependant aucun souvenir de la façon
dont Sénid et elle avaient pu s'y retrouver. Peut-être
y avait-il eu une accalmie dans la tempête ? Le Viking
avait alors trouvé cette caverne et l'y avait amenée.
Apparemment, il avait aussi trouvé du bois pour faire
un feu. Aleel découvrit qu'il lui avait également fait un
bandage à la main droite. Il avait donc aussi soigné ses
engelures…

Comment, après tant d'attentions, avait-il eu le culot
de la déshabiller pour se coucher avec elle, nu lui
aussi ?

Une créature de taille imposante avançait dans le
couloir. Aleel reconnut un géant, quoiqu'elle n'eût pas
le souvenir d'en avoir jamais rencontré de si velus. Il
parut un peu surpris de sa présence dans le corridor. Il se
tourna de flanc pour passer près de la cyclope, qui réalisa
qu'elle se tenait immobile en plein milieu du couloir. Elle
fit un pas de côté pour libérer le passage. Elle devrait

s'en retourner dans la caverne et retrouver Sénid qui lui devait une explication, mais sa gêne la retenait encore sur place.

Comme le géant s'éloignait, Aleel se rappela qu'elle en avait vu d'autres dans la caverne quand elle s'était réveillée. La scène était cependant encore un peu confuse dans son esprit. Elle ignorait que des géants vivaient aussi loin vers le nord. Elle conclut que c'était eux qui les avaient secourus, et non pas Sénid. Le Viking n'était donc sans doute pas responsable de leur présence à tous deux sous une même couverture.

— Aleel ? Ça va ?

Elle se retourna et vit Sénid qui approchait. Le Viking avait enfilé son pantalon et finissait de boutonner sa chemise. En avisant ses bottes délacées, la cyclope nota qu'elle s'était élancée dans le corridor pieds nus. Elle ressentait justement la présence d'un caillou qui lui irritait la plante du pied gauche. Elle se déplaça légèrement en resserrant sa prise sur la couverture.

— Ne me regarde pas ! ordonna-t-elle.

Sénid baissa les yeux et fixa le sol du corridor.

— Je suis désolé de ce qui vient d'arriver, dit-il. Je t'assure que je n'ai rien fait.

— Je sais. Je le comprends maintenant. Ce sont ces géants qui nous ont secourus.

— En fait, il s'agit des fameux yétis que Twilop redoutait tant.

— Les yétis ?

— Ils nous ont trouvés ensemble, expliqua rapidement Sénid. Ils ont cru que nous étions un couple.

Aleel hocha la tête, peu étonnée de la méprise de leurs sauveteurs. Même si les cyclopes et les humains appartenaient à deux espèces différentes, les mariages mixtes existaient et étaient approuvés. Les deux espèces, après tout, étaient fortement apparentées. Elles pouvaient même avoir des enfants ensemble, bien que, dans ce cas, ils naissaient tous avec deux yeux.

— Comment sais-tu tout ça ? Tu viens de te réveiller en même temps que moi, non ?

— C'est ce que maître Nolate m'a expliqué avant de m'inciter à te rattraper.

— Nolate !

— Il est vivant. Elbare et Twilop aussi.

Aleel éprouva une soudaine sensation de légèreté, comme si on lui avait enlevé un lourd fardeau des épaules. Elle dut s'adosser à la paroi de pierre pour recouvrer son calme. Ainsi, ils avaient survécu tous les cinq. Ils devaient se trouver dans la caverne avec ces yétis, même si elle n'avait pu les voir à cause de sa trop vive réaction. Elle fit un pas pour retourner dans la salle, mais se rappela qu'elle était vêtue uniquement d'une fourrure.

— Je suppose que je n'ai pas à poursuivre cette conversation dans ma tenue vestimentaire actuelle, commenta-t-elle.

— Comment ? fit Sénid en reportant dans un réflexe son regard sur elle. Oh ! Bien sûr ! Les yétis ont dû mettre nos vêtements à sécher.

Elle s'engagea à sa suite dans le couloir.

— Il ne faudra jamais parler de cet incident, exigea-t-elle. Il ne s'est rien passé, pas vrai ?

— Nous n'en avons pas eu l'occasion.

— Sénid !

Pourquoi les mâles, peu importait l'espèce, plaisantaient-ils sur des situations pareilles ?

— Désolé, fit-il. Non, il ne s'est rien passé. Je suis sûr que les autres seront d'accord pour taire cet incident.

Ils repartirent dans le corridor, rejoindre le reste du groupe.

Aleel entra dans la caverne, quelques secondes après le retour de Sénid. Toujours serrant sa couverture contre elle, elle se retira dans un coin pour se rhabiller. Elle rejoignit ensuite le groupe et tâcha de sourire, comme si rien ne s'était produit. Elle semblait avoir repris son aplomb, malgré la rougeur qui colorait encore ses joues. Personne ne trouva d'abord comment rompre l'embarrassant silence. Ils auraient dû se jeter dans les bras les uns les autres, heureux d'être tous en vie, mais seule la gêne dominait ces retrouvailles.

Pourtant, ils avaient supporté sans peine une intimité inévitable depuis le départ de Capitalia. Les nuits en groupe près d'un feu et les buissons pour les besoins corporels ou pour changer de vêtements étaient devenus monnaie courante dans leur équipe. D'étrangers, ils étaient devenus des connaissances, puis des amis. Twilop, du moins, voyait les choses ainsi.

Nolate se décida enfin à rompre le silence.

— Les yétis ont eu la gentillesse de préparer un peu de nourriture, expliqua-t-il. Je pense que Sénid et toi devriez manger pour reprendre des forces.

Aleel accepta l'écuelle que lui remit une des créatures velues. Sénid prit la sienne et avala rapidement son contenu. Le Viking resta près de Nolate, alors que la cyclope s'installa un peu plus loin. Twilop la rejoignit. Elle n'avait jamais eu de compagnon de jeu ni d'ami, même dans son enfance. Depuis qu'elle avait intégré le groupe, les choses avaient changé. La cyclope surtout lui était chère. Ses leçons d'autodéfense des dernières semaines l'avaient amenée à la considérer comme une sœur.

Quand Aleel et Sénid eurent terminé leur repas, le yéti reprit les écuelles.

— *Taragol zlig fi lokarf*, dit une des créatures velues. *Floq lodom blian durik.*

— *Ragkan*, remercia Elbare, devenu traducteur du groupe par la force des choses.

Les yétis saluèrent les cinq amis d'un hochement de tête et se retirèrent. Le versev expliqua que leurs hôtes les laissaient seuls pour leur permettre de se remettre de leur pénible épreuve. Leur prévenance allait à l'encontre de tout ce que Twilop avait lu à propos de ces êtres de légende. Au contraire des monstres aux griffes et aux crocs acérés qui dévoraient les voyageurs, elle découvrait des êtres civilisés et bienveillants. Elle regrettait que le temps leur manque pour mieux les connaître.

Nolate prit la parole :

— Eh bien ! fit-il sur un ton enjoué. Nous sommes tous en vie, les amis. Grâce à nos sauveteurs, non seulement nous avons échappé à une mort certaine, mais aucun d'entre nous ne gardera de séquelle permanente de notre mésaventure.

— C'est ce que m'a confirmé le guérisseur de ce clan, expliqua Elbare. J'ai davantage souffert d'engelures que vous, mais je serai complètement rétabli dans deux ou trois jours. Nous pourrons alors nous remettre en route.

— Là, je crois que nous avons un problème, intervint la cyclope. Nous avons perdu presque toutes nos affaires dans l'avalanche, je vous le rappelle. Et ce n'est pas dans ces montagnes que nous pourrons en acheter d'autres.

— Nous ne pouvons donc pas poursuivre vers le Nord, se désola Nolate. Prenons vers l'Est pour échapper au froid. Nous pourrons chasser pour nous nourrir. Nous prendrons le morceau caché à Ênerf, puis passerons par le Sud et l'Ouest et terminerons au Nord.

— Nous ne nous trouvons qu'à une semaine de marche d'Hypérion ! objecta Sénid. Et, sur notre route, il y a la ville thermale de Nordique. Nous pourrons y acheter ce qui nous fait défaut.

— Je ne pourrai jamais y passer inaperçu ! fit le centaure.

— Il me suffira d'y aller seul. En rebroussant chemin, nous ne trouverons aucune communauté qui pourrait nous vendre le matériel manquant. Nous serons à la merci des patrouilles que ne manquera pas d'envoyer Lama à nos trousses.

— Avant de songer à la direction à prendre, intervint Aleel, il faut d'abord quitter ces montagnes.

— Le glacier n'est pas insurmontable ! s'entêta le Viking. Rappelez-vous que nous n'avons fait aucune tentative, croyant trouver une route plus sûre dans les monts Yétis. À présent que nous savons qu'il n'en existe aucune, le glacier redevient envisageable.

— Nous n'avons même pas de matériel pour transporter des vivres ! rajouta la cyclope. Tu veux ajouter l'alpinisme à nos épreuves ?

Le Viking ne répondit pas, agacé. Twilop comprenait sa frustration. Elle n'appréciait pas plus que lui l'idée de renoncer si près de leur destination. Sénid avait grandi dans ce climat de froid et de neige et il aurait sans doute pu traverser le glacier avec ce qui lui restait de bagages. Mais il ne pouvait ignorer qu'il n'en allait pas ainsi pour les autres. Peu importait son souhait, la route du Nord leur était bloquée. Mais il y avait peut-être une solution.

— Peut-être que nos sauveteurs accepteraient de nous aider ? suggéra Twilop. Ils pourraient nous mener du bon côté du glacier et le tour serait joué.

Elle ne doutait pas que les yétis sauraient les conduire à travers leurs montagnes de façon sécuritaire. Il fallait de l'astuce et de la débrouillardise pour survivre dans un milieu aussi hostile. Or, les créatures velues y avaient prospéré, fondant une société parfaitement adaptée au climat rigoureux du massif, comme le prouvait largement l'aménagement des grottes.

Elbare appela et un yéti vint s'informer de ce que désiraient leurs invités. Il parla un moment avec le troglodyte, qui sembla d'abord d'accord, puis qui manifesta d'évidents signes de refus à une nouvelle remarque du versev. Quelques instants plus tard, trois autres yétis vinrent les rejoindre. L'échange se poursuivit, marqué d'hésitations quand Elbare devait se faire répéter quelque réponse, les yétis ne parlant pas exactement le géantien. Finalement, une femme yéti plus âgée fit un court commentaire d'un ton sec, ce qui mit un terme aux discussions.

Elbare revint vers ses compagnons de mission.

— Ils vont nous aider à retourner dans la vallée, expliqua-t-il, mais pour nous conduire au pied des montagnes, du côté sud. Ils refusent de nous laisser traverser leur territoire.

★ ★ ★

Le guérisseur avait parlé de deux à trois jours avant qu'Elbare soit suffisamment rétabli pour repartir. L'intéressé devait admettre que le yéti avait fait une estimation juste, malgré sa méconnaissance de l'espèce.

Les yétis n'avaient jamais vu de versevs auparavant, leur curiosité à l'endroit d'Elbare suffisait à le confirmer. Ils lui posaient toutes sortes de questions auxquelles il répondait de bonne grâce. Il renforçait une amitié naissante, tout en apprenant les subtilités de leur langage. À présent, il comprenait aisément leurs hôtes.

Quant à les convaincre de les conduire plus au nord, il ne fallait pas y penser. Leur refus était sans appel et Nolate y épuisa tous ses arguments. Pour continuer vers le pays des Vikings, ils devraient tenter leur chance sur le glacier ou traverser les monts Centraux et rejoindre la route du Nord. Ou encore changer de destination et commencer par Ênerf.

Elbare avala la dernière bouchée de son fromage de lait de yack et se leva. Il ne ressentait plus les légers vertiges qu'il avait connus les jours précédents. Il remercia Tebit, devenu leur guide pour la durée de leur séjour. Le yéti récupéra l'écuelle et repartit dans un des couloirs. Nolate vint aussitôt rejoindre Elbare. Il semblait avoir attendu le départ de Tebit pour aborder le versev.

— J'aimerais tenter une fois encore de les convaincre, annonça-t-il.

— Je ne vois pas ce qui pourrait les faire changer d'avis, commenta Elbare. Ils ne veulent pas nous laisser traverser leur territoire, ils se sont montrés assez clairs à ce propos.

— J'ai peut-être une idée. Je veux la soumettre aux matriarches.

Intrigué, Elbare fronça un sourcil. Qu'escomptait-il d'une nouvelle rencontre avec les matriarches, les femelles yétis qui dirigeaient les destinées de leur peuple ? Précédant le centaure, il s'engagea dans un des couloirs. La salle de réunion des yétis se trouvait un peu plus loin, mais il faudrait d'abord demander audience. Dans moins d'une heure, le matriarcat siégerait pour écouter les doléances de leurs invités. Pour une troisième fois en autant de jours.

Jamais Elbare n'aurait pu imaginer la complexité de l'aménagement des cavernes. La plupart paraissaient naturelles, quoique des traces d'outils montraient à quels endroits elles avaient été retravaillées. Les couloirs, eux, semblaient complètement artificiels. Ils serpentaient dans le roc et reliaient chaque caverne en un dédale difficile à mémoriser. Interrogé, Tebit avait expliqué que leurs ancêtres avaient suivi les failles dans la pierre pour aménager ces corridors. Cela expliquait les tournants, les montées et les descentes.

Un peu partout, des ouvertures menaient à des grottes de tailles variées. Chacune servait d'habitation à deux ou trois familles, regroupées en clans. D'autres grottes restaient libres. Elbare s'était étonné de ces espaces vacants ; il se disait que les yétis auraient pu les occuper ou s'épargner l'effort d'aménager autant de grottes et de couloirs. Lorsqu'il avait émis un commentaire dans ce sens, Tebit avait souri avant d'expliquer que les clans déménageaient régulièrement pour permettre le nettoyage des grottes précédemment occupées.

À la grotte centrale, utilisée par les créatures velues pour les réunions du matriarcat, Elbare interpella le premier yéti qu'il croisa.

— *Yo tnaw reev sad Nieluarf, plize* ? demanda-t-il.

Son vis-à-vis hocha la tête et partit dans le couloir. Il ne se formalisa pas de l'entêtement de leurs invités. Après un premier refus le jour de leur arrivée et deux de plus les jours suivants, annoncés ceux-là par les matriarches elles-mêmes, la demande du versev de rencontrer le matriarcat à nouveau aurait pu passer pour un manque de respect. Refuserait-il de les entendre ?

Les matriarches acceptèrent et invitèrent les visiteurs à les retrouver dans la salle.

Elbare repartit vers la grotte qui leur avait été attribuée. Il parcourut le long corridor, dépassant la caverne où les tanneurs préparaient les carcasses des yacks abattus pour servir le clan. Rien ne serait perdu. Pour en avoir apprécié la douceur, Elbare savait que leurs fourrures faisaient d'excellentes couvertures. Mais il y avait plus : la viande nourrissait la communauté, qui n'était pas végétarienne comme celle de leurs cousins les géants, la graisse alimentait les torches et les tendons devenaient des cordes pratiquement indestructibles. Les parties non utilisables servaient d'engrais dans les rares pâturages des vallées.

Les yacks vivaient à flanc de montagne, descendant entre celles-ci pour brouter les herbes rares qui y poussaient pendant les courts étés et se contentant de lichen le reste du temps. Les yétis avaient domestiqué ces bêtes dès leur installation dans les montagnes. Leur lait donnait un fromage dont le versev avait eu l'occasion d'apprécier le goût. Tout ce que préparaient les yétis était d'ailleurs excellent.

Il retrouva ses compagnons.

— C'est absurde ! déplora Aleel dès qu'Elbare eut expliqué l'idée du centaure. Ils nous ont clairement refusé toute aide pour franchir leurs montagnes.

— L'insistance de maître Nolate pourrait même amener les yétis à nous refuser leur aide pour retourner vers le sud, renchérit Twilop. Nous mourrons de froid si nous essayons de poursuivre avec les vêtements qui nous restent.

Elbare avait conscience de tout cela, mais il ne faisait que transmettre la requête de Nolate. Ses amis repartirent à sa suite dans le couloir. Ils retrouvèrent le centaure dans la grotte centrale. Une dizaine de yétis les attendaient, dont les matriaches. Les guides du peuple des montagnes attendaient Elbare pour traduire les propos de Nolate, même si, en fait, les femelles yétis se doutaient de ce dont le centaure souhaitait les entretenir.

Le versev traduisit les salutations de Nolate et écouta la réponse.

— Nous maintenons notre offre de vous reconduire au pied des montagnes. Nous ne vous laisserons pas passer sur notre territoire.

— Pourtant, fit Nolate, il le faut. Notre voyage répond à un besoin vital, non seulement pour nous, mais pour chacun de nos peuples.

Elbare traduisit.

— Il y a une menace qui pèse sur chaque être pensant du Monde connu, renchérit Nolate. Elle vous concerne aussi.

Cette fois, Elbare hésita. Plutôt que de traduire la réplique, il regarda le centaure, étonné. Nolate avait refusé jusque-là de révéler le but de leur mission aux yétis, soutenant qu'ils les connaissaient trop peu pour leur faire confiance. Le séjour dans les cavernes l'avait-il incité à changer d'avis ou l'urgence de la situation le poussait-il à courir un risque ? Les autres membres du groupe semblaient tout aussi perplexes.

Nolate fit un geste de la main et Elbare traduisit. Il parla longuement, révélant absolument tout des intentions de la déesse relatives à chaque habitant du Monde connu. Les matriaches écoutaient en silence et le versev aurait été bien en peine de dire si le discours les impressionnait. Elles prenaient peut-être peur ou, au contraire, croyaient que Nolate inventait toute cette histoire. Au-delà de toutes ses préoccupations, une question s'imposait à son esprit.

Tout ce palabre serait-il suffisant pour amener les yétis à les conduire vers le Nord ?

CHAPITRE DIX

L e versev se tenait bien droit, immobile sur la chaise. Lama n'était cependant pas dupe : son teint vert pâle et ses pupilles dilatées trahissaient son extrême fatigue. Heureusement, les quelques tests qu'elle avait pratiqués sur son cobaye lui avaient confirmé qu'il n'éprouvait aucune douleur physique. Sa méthode était donc au point, à présent. Les versevs ne se douteraient de rien jusqu'à ce qu'il soit trop tard.

— Nous en avons fini, lança la déesse. Tu peux partir.

Le versev ne réagit pas sur-le-champ. Il se tourna vers Lama, des larmes dans les yeux. Elle regarda avec indifférence les gouttes de sève qui glissaient sur les joues de son cobaye. Il se leva enfin. Lentement, péniblement, il se tint debout, tremblant de tous ses membres. Lama resta imperturbable face à la détresse de la créature végétale. Elle lui fit signe d'avancer. Le versev fit un pas, puis un autre. Au troisième, ses jambes flanchèrent. Il s'écroula, chaque genou pliant dans une direction opposée. Un bras cassa dans un craquement de branche brisée.

Lama sourit, insensible aux gémissements du mourant. Elle avait testé sa solution sur deux autres versevs avant lui et l'issue avait été chaque fois la même. Tandis que son cobaye regardait avec effroi ses membres disloqués, la déesse songeait à l'avenir. Elle avait enfin une solution pour éliminer le dernier obstacle à son monde parfait.

Le versev eut un dernier soubresaut et s'immobilisa, ses yeux sans vie fixant la voûte de la grotte.

— Voilà qui est parfait, commenta-t-elle. Nossanac, occupe-toi de nettoyer ça, pendant que je vais rencontrer mon maître espion.

— Oui, déesse.

Laissant l'hermaphroïde à sa tâche, Lama quitta le laboratoire. Elle se rendit à la petite salle d'audience pour y recevoir son maître espion en souhaitant qu'il lui apporte de bonnes nouvelles. Si elle avait enfin réglé le problème versev, les intentions de Pakir-Skal lui restaient inconnues. Le vieux centaure avait fomenté un plan qui visait à entraver son projet. Elle n'avait pas encore trouvé ce que c'était.

Elle avait pourtant tenté plusieurs approches pour saper sa volonté. Comme elle ne pouvait le frapper sans en ressentir aussitôt les effets, Lama avait essayé de lui briser le moral. Elle l'avait d'abord confiné à ses appartements. Mais il se plongeait dans l'étude de ses manuscrits et ne semblait pas autrement contrarié. Lama l'en avait donc retiré pour l'enfermer dans un cachot. Elle l'avait même installé dans les écuries avec les chevaux, comme s'il avait été un animal. Lorsqu'elle l'avait revu, trois jours plus tard, le vieux centaure souriait toujours. Ce souvenir éveillait encore en elle une rage sourde.

La petite salle d'audience ressemblait à la salle du trône, mais elle était plus modeste. Le siège royal se trouvait sur une petite estrade, de sorte qu'elle ne pouvait y accueillir des géants. Et, bien sûr, il n'y avait aucun écrin à Pentacle derrière elle. Lama gagna le siège et s'installa. Un héraut se présenta à l'instant.

— Fais entrer mon visiteur, ordonna Lama.

Le héraut introduisit le maître espion. L'homme était presque chauve ; il n'avait qu'une couronne de cheveux gris qui lui ceignait les tempes. Il s'avança jusqu'au trône où il fit une révérence. L'agent paraissait bien insignifiant, avec sa petite taille et son regard fuyant. Personne ne lui aurait prêté attention dans une foule ou lors des réceptions diplomatiques. Il possédait le physique idéal de l'espion.

— Je suis à votre service, ô déesse !

— Tu peux te relever.

Lama lui indiqua un siège et il y prit place. À présent, il faisait face à sa souveraine, même s'il était assis un peu plus bas qu'elle. Lama s'assurait ainsi que tous ceux qu'elle recevait en tête-à-tête se rappellent qu'ils avaient affaire à la personne la plus puissante du Monde connu.

— Alors ? demanda-t-elle. J'espère que tu as glané quelques renseignements dignes d'intérêt.

Elle l'avait chargé de découvrir l'identité des voyageurs avec qui Twilop avait quitté la caravane. Le soldat revenu rapporter l'affaire lui avait appris qu'il s'agissait d'un centaure, d'une cyclope, d'un humain et d'un versev. Sa magie lui avait permis de rafraîchir la mémoire du soldat lors d'un interrogatoire. Mais, hormis le fait qu'il se soit souvenu que l'humain était un Viking, il n'avait pu fournir aucun nom.

— Je le pense, déesse, dit l'espion en réponse à sa question. J'ai trouvé l'identité de deux des ravisseurs de votre protégée.

Évidemment, Lama n'avait pas tout révélé à son agent. Son projet de changer chaque être pensant du Monde connu en hermaphroïde devait rester secret jusqu'à ce qu'elle puisse offrir ce merveilleux cadeau aux peuples des cinq régions. D'ici quelques semaines, elle commencerait à faire naître plusieurs hermaphroïdes à la fois. Elle avait donc présenté la disparition de Twilop comme un enlèvement.

— Je t'écoute.

— Le centaure est Nolate, maître d'armes à l'Académie. Il fut autrefois l'élève personnel de Pakir-Skal.

— Il n'a donc pas eu de grands efforts à faire pour le monter contre moi, commenta Lama. Qui est l'autre que tu as identifié ?

— L'humain, déesse. Il se nomme Sénid et c'est un Viking qui tentait d'intégrer la garde du Pentacle. En dépit d'études brillantes, il a tout laissé tomber à quelques semaines de sa promotion. Or, ce Sénid était l'élève favori de Nolate.

— Tout s'enchaîne, fit Lama. Rien sur les autres ?

— J'ai d'abord parlé de ce qui était certain, déesse. J'ai toutefois une bonne idée de l'identité du versev. Trois d'entre eux sont venus vous présenter une doléance il y a quelques semaines. L'un d'eux a été arrêté pour propos séditieux et l'autre plaide pour sa libération. Le troisième ne se trouve nulle part dans Capitalia.

Lama sourit en se remémorant le versev qui l'avait critiquée et qui s'était écroulé devant elle, quelques minutes plus tôt à peine, membres brisés.

— Sans importance, décida-t-elle. Les versevs sont des pleutres. Parle-moi plutôt de la cyclope.

L'espion baissa les yeux.

— À ma grande honte, fit-il, je n'ai aucun indice. Aucun représentant de son peuple ne sait qui elle est. Pas même le personnel de l'ambassade.

Lama réfléchit à ce que le maître espion venait de lui apprendre. L'identité du centaure et de l'humain expliquait bien des choses. La présence du versev en leur compagnie pouvait aussi se justifier. Celle de la cyclope demeurait un mystère. Cependant, une question restait sans réponse, la plus importante de toutes : quelles étaient les intentions de Pakir ?

— Je veux que des patrouilles parcourent le monde et les retrouvent, ordonna-t-elle.

L'espion parut surpris.

— Tout le Monde connu ?

Elle lui jeta un regard chargé d'exaspération. L'espion comprit qu'elle avait été claire à ce propos.

— Ce sera fait, déesse.

Il se retira, laissant Lama-Thiva seule avec ses réflexions.

✪✪✪

Nolate s'était couché sur une fourrure, dans un coin de la caverne. Toute son attention se portait sur ce qui se passait à l'autre extrémité de la vaste salle souterraine. Autour de la table en pierre, les matriarches discutaient de ce que le centaure leur avait révélé et de ce qu'il leur demandait. Elles semblaient en désaccord sur plusieurs points.

Le centaure n'aurait pas cru qu'il eût fallu toute la matinée pour expliquer le projet de Lama-Thiva. Les femelles yétis avaient souvent interrompu Elbare, qui traduisait de son mieux. C'était d'autant plus délicat que le versev devait non seulement répéter les propos de Nolate en géantien, mais s'assurer que leurs hôtes avaient compris les enjeux. À la fin, ils s'étaient réunis pour débattre entre eux. Fatigué, Elbare s'était étendu dans un coin pour s'endormir aussitôt. Son travail de traduction, combiné à la fatigue des derniers jours, l'avait épuisé.

Il ne restait qu'à attendre que le matriarcat prenne une décision.

Contrairement au versev, ses compagnons ne parvenaient pas à se détendre. Twilop était celle qui supportait le mieux l'attente ; elle avait appris la patience en servant la déesse. D'après ce qu'elle avait décrit des expériences de la souveraine, l'hermaphroïde avait souvent attendu de longues heures sans oser bouger. Lama ne tolérait certainement pas le moindre geste susceptible de la déconcentrer.

Elle aurait été fortement irritée par l'attitude d'Aleel et de Sénid. La cyclope et l'humain marchaient de long en large dans la caverne. Nolate remarqua qu'ils évitaient de se regarder, une conséquence de l'incident de la couverture. Comme le centaure le redoutait, ils finirent par se cogner l'un à l'autre. Il s'étonnait qu'ils ne se soient pas heurtés plus tôt.

— Hé, attention ! Regarde donc où tu mets les pieds.

— Regarde donc toi-même ! rétorqua le Viking. Quand on n'a qu'un œil, on redouble de prudence.

— Et ils te servent à quoi, toi, tes deux yeux ? Tu ne vois même pas où tu marches !

Nolate préféra intervenir.

— Ça suffit, vous deux ! Il ne sert à rien de vous disputer. Cela n'amènera pas nos nouveaux amis à se décider plus rapidement.

La cyclope et l'humain se regardèrent quelques instants, puis Aleel haussa les épaules et s'éloigna de quelques pas. Le Viking en fit autant. Ils allèrent s'asseoir aussi loin que possible l'un de l'autre avec un air boudeur qui aurait paru comique en d'autres circonstances. Nolate comprenait leur impatience. Il se sentait lui-même à bout de nerfs. La tension entre eut aggravait sa nervosité. Il commençait à s'inquiéter et cherchait un moyen de résoudre cette crise potentielle.

Nolate sursauta quand Twilop se redressa. Il tourna le regard vers ce qui avait attiré l'attention de l'hermaphroïde. Une matriarche s'était levée et venait les rejoindre. Twilop n'attendit pas que Nolate lui fasse signe pour secouer légèrement Elbare. Leur ami se réveilla presque instantanément. Le centaure enviait cette caractéristique propre aux versevs.

— *Kalar bi azorty*, lança la yéti.

— *Jo skuluk*, répondit Elbare.

Nolate, qui commençait à comprendre quelques mots de la langue des yétis, devina que leur hôte réclamait quelques explications supplémentaires.

— Ils veulent savoir si nous demandons qu'ils nous accompagnent dans notre entreprise, traduisit le versev.

— Nous ne souhaitons que de l'équipement qui nous permettra de poursuivre notre route pour gagner le Nord, rappela Nolate. Et, bien entendu, l'autorisation de traverser le territoire.

Elbare se tourna vers la yéti et répéta les précisions de Nolate. La matriarche rejoignit ses compagnes et la discussion reprit entre les créatures. Il semblait y avoir encore un désaccord, mais elles hochèrent néanmoins la tête au bout d'un moment. La porte-parole du matriarcat revint vers eux. Nolate comprit qu'elles en étaient venues à une décision et pria Equus pour qu'elle leur soit favorable.

La yéti parla quelques secondes à Elbare.

— Les matriarches ne croient pas leur peuple en danger, expliqua le versev. Elles se pensent à l'abri des manigances des autres espèces, dans ces montagnes. Cependant, elles constatent que cette mission est importante pour nous et elles veulent bien nous aider. Elles nous fourniront le nécessaire pour franchir leurs montagnes et des guides nous mèneront jusqu'au Nord.

— *Pop bradingtu zow eklorfaruk, porka la drijopmat plak rem talok.*

— Elles prendront toutefois des chemins détournés pour nous amener hors de leurs montagnes, ajouta

Elbare, traduisant toujours. Elles veulent éviter que nous les trahissions si nous sommes capturés et torturés.

— *Sud vimfuruib vik ajglorbivlak ?*

— Ces conditions nous paraissent-elles acceptables ?

Nolate se tourna vers la matriarche. Il avait espéré que leurs hôtes leur offrent la possibilité de poursuivre, ce qu'ils obtenaient finalement. Les conditions imposées pour cette aide ne visaient qu'à protéger les yétis d'éventuelles représailles. Le centaure l'aurait d'ailleurs proposé comme argument pour persuader leurs hôtes de les aider. Acceptables ? Évidemment, que ces conditions étaient acceptables ! Il transmit ses remerciements par l'entremise d'Elbare.

Leur retard serait en fin de compte moins important que redouté.

Elbare éprouvait des sentiments contradictoires, alors qu'ils allaient quitter la caverne. Bien sûr, il était heureux de poursuivre la mission. Ils séjournaient chez les yétis depuis quatre jours. Pourtant, ce départ signifiait aussi la fin d'un confortable séjour. Un vent frais souffla au visage du versev à la sortie de la caverne. Il frissonna et resserra le col de son manteau, un don des yétis fabriqué avec de la peau de yack. Ses compagnons et lui devraient se réhabituer aux rigueurs du climat.

— Hé ! Ça marche vraiment !

Elbare se tourna vers l'hermaphroïde. Twilop s'était avancée de quelques pas, jusqu'à une congère de près d'un mètre de hauteur. Elle y grimpa, plutôt hésitante au début. Elle portait aux pieds les étranges chaussures que leur avaient fournies les yétis. Le versev constata que la marcheuse ne s'enfonçait pas dans la neige.

— Voilà une invention formidable ! s'exclama Aleel. Comment appellent-ils ça, déjà ?

— Des *rah ketts*, répondit Elbare. Ça se traduit approximativement par *pieds larges*.

— *Rah ketts*, répéta Sénid. J'aime bien la sonorité de ce mot. Dans le Nord, nous utilisons des skis pour nos déplacements hivernaux. Ils nous permettent même de glisser sur les pentes et de progresser plus rapidement. Mais il faut un certain temps pour les maîtriser.

— Ces *pieds larges* suffiront, commenta Nolate.

Elbare regarda le quadrupède, qui expérimentait lui aussi l'usage de ces outils, qu'il avait fallu modifier pour les adapter à ses sabots. Nolate paraissait étrange avec son manteau et son pantalon à quatre pattes. La confection de vêtements en peaux de yack adaptés à l'anatomie mixte du centaure avait exigé plus de travail.

Nolate avait recouvré son calme, à présent. Quelques heures plus tôt, lorsque les yétis avaient commencé à préparer des bagages, l'un d'eux avait proposé d'en charger sur son dos. Le centaure s'était montré extrêmement choqué de la suggestion et avait répliqué qu'il n'était pas une bête de somme. Il s'était éloigné, en proie à une colère évidente. Elbare en avait été surpris car, de tout le groupe, le centaure était celui qui avait la meilleure maîtrise de soi. Twilop, érudite, avait expliqué les raisons de la brusque colère du centaure.

— Son peuple a souvent été considéré comme un réservoir d'esclaves, au cours de l'histoire. Les centaures servaient alors de bêtes de somme.

La réaction du centaure se justifiait tout à fait.

Trois yétis attendaient à l'entrée de la caverne. Les compagnons de voyage se regroupèrent. D'un geste, l'un des guides donna le signal du départ. Il prit un étroit sentier qui longeait la pente de la montagne. Le versev rajusta le sac qu'il portait sur le dos et suivit le yéti. Ses amis lui emboîtèrent le pas. Les deux autres créatures des montagnes fermaient la marche, de manière à pouvoir aider un éventuel retardataire. Le temps, heureusement, était beau lorsqu'ils se mirent en route.

— Quelle vue splendide ! s'extasia Aleel.

Elbare partageait cet avis. Le soleil, encore assez bas à l'est, se reflétait sur les champs de neige et de glace. Sous cet angle, les surfaces blanches se teintaient par endroits de rouge et d'orange. Après cinq jours dans la caverne, le versev apprécia particulièrement la présence du soleil. Ce beau temps devrait leur permettre de progresser de plusieurs kilomètres avant la tombée de la nuit.

Ils marchaient à un bon rythme et grimpèrent un premier col. Le yéti qui menait le groupe les attendit sur la crête, silhouette à contre-jour dont l'ombre se détachait sur le bleu intense du ciel. Elbare en eut même légèrement mal aux yeux. Il rejoignit donc leur guide en se contentant de fixer le sol à ses pieds. Du sommet, il découvrit un paysage semblable en tout point à celui qu'ils laissaient derrière eux. Il en fut un peu déçu, même s'il se rappelait que les yétis avaient parlé de plusieurs jours pour sortir des montagnes.

Ils repartirent sur le sentier qui redescendait sur le flanc de la montagne. La marche devint vite monotone. Elbare repensait aux événements qui l'avaient amené ici, loin de chez lui. Songeant à Nipas et à Salil, il se demanda s'ils avaient finalement regagné la Versevie. Ils devaient s'inquiéter de ne pas l'y retrouver, alors qu'il aurait dû rentrer sans attendre. Mais il ne lui servait à rien de regretter sa décision, à présent.

Elbare heurta le yéti, n'ayant pas remarqué qu'il s'était immobilisé.

— *Mopran gu kofkilom*, lança le guide sans se formaliser.

À peine avait-il dû ressentir le contact du versev en raison de sa stature. Perdu dans ses pensées, Elbare ignorait depuis combien de temps ils avançaient. Le soleil semblait avoir peu monté dans le ciel et il s'étonna que le yéti annonce la pause repas. Il se rappela alors qu'ils se trouvaient loin au nord et qu'à cette latitude le soleil ne dessinait dans sa trajectoire qu'une courbe assez basse au dessus de l'horizon. Sa faim le persuada qu'ils avaient effectivement marché pendant une demi-journée.

La créature des montagnes pointa une marque sombre dans la paroi. C'était l'entrée d'une grotte si bien dissimulée qu'on pouvait passer devant sans jamais la remarquer. Le petit groupe suivit leur guide à l'intérieur. L'obscurité faisait un contraste saisissant avec la lumière éclatante du soleil sur la neige. Un des yétis s'avança vers une masse sombre qui formait une pyramide au milieu de la grotte. Il frotta deux silex et alluma ce qui se révéla être un amoncellement de bois prêt à l'usage. Le feu éclaira une caverne fort bien aménagée.

— Tout était donc prêt pour nous accueillir ? s'étonna Twilop.

— Les yétis ont sans doute prévu plusieurs grottes où ils font des haltes au cours de leurs déplacements, supposa Aleel.

Elbare estima que la cyclope voyait juste. Dans un climat aussi rude et avec des sentiers difficilement praticables, les yétis avaient sûrement pris ce genre de précautions. Les trois créatures déposèrent leur sac et y puisèrent quelques provisions. Le groupe se trouva un coin pour manger un morceau. Tous appréciaient la chaleur croissante du feu.

— Nous serons bien vite sortis de ces montagnes ! lança Nolate, son optimisme retrouvé.

— Je n'en suis pas si sûre, objecta Aleel. Regardez ce qu'ils font.

Ils découvrirent que les yétis sortaient des couvertures de leurs bagages pour préparer leurs lits.

— Qu'est-ce qui leur prend ? demanda Sénid.

— Je l'ignore, répondit Elbare.

Il posa le reste de sa ration et rejoignit les yétis. Ces derniers le virent approcher du coin de l'œil, mais poursuivirent leurs préparatifs. De toute évidence, ils ne comptaient pas reprendre le voyage avant le lendemain. Peut-être pensaient-ils que le versev et ses amis n'avaient pas encore récupéré de leurs mésaventures dans la tempête. Quand Elbare posa la question, le yéti l'invita à regarder par l'entrée de la grotte.

Elbare jeta un coup d'œil à l'extérieur et revint vers ses compagnons de voyage, la mine plutôt basse. Sans un mot, il s'empara de son sac et sortit à son tour sa couverture en cherchant du regard un endroit propice pour installer un lit. Avisant ses camarades qui l'observaient sans comprendre, il hésita. Il n'y avait aucun moyen de leur annoncer la mauvaise nouvelle en douceur.

— Nous passerons la nuit ici, lança-t-il. Une nouvelle tempête s'est levée.

La déception de ses compagnons de voyage était aussi grande que la sienne.

★★★

Le sentier grimpait en pente douce vers une crête. Sénid refusa de se laisser démoraliser. Le voyage en était à son quatrième jour, soit le double de ce qu'ils avaient souhaité. Heureusement, depuis l'aube, ils descendaient plus souvent qu'ils ne montaient. D'ici quelques heures, ils seraient sortis de ces montagnes. Cette perspective avait un effet tonifiant sur chaque membre de l'expédition.

Sur la crête, Sénid aperçut de nouveau la vaste étendue d'eau qu'il avait remarquée pour la première fois la veille, en fin de journée. Il s'était demandé si c'était la mer, mais il avait aussitôt rejeté cette hypothèse. Pour rejoindre l'océan, ils auraient dû marcher vers l'ouest et franchir les monts Centraux. La seule étendue d'eau connue dans cette région était le lac Iceberg.

Peu de gens, même parmi les Vikings, avaient vu ce lac. Les géographes de Capitalia avaient déterminé qu'il donnait naissance à l'Égral, le fleuve qui séparait le Nord du Centre. Les Vikings vivaient sur la rive droite de ce cours d'eau, en aval de la route du Nord. L'Égral était si large à cet endroit que l'autre rive se perdait sous l'horizon. En amont, au contraire, le fleuve coulait entre des collines et des terres impropres à la culture. Ce fait expliquait qu'aucune colonisation n'y avait été tentée depuis des siècles. Et personne ne vivait là – sauf les yétis, dont l'existence était considérée comme légendaire.

Sénid se questionnait. Le lac Iceberg était si vaste qu'il était impossible de voir l'autre rive. Pourtant, les yétis les guidaient sans hésiter vers sa berge. Jusqu'au dernier moment, le Viking se demanda quand ils allaient bifurquer pour le contourner. Même lorsqu'ils l'atteignirent, il supposa qu'ils longeraient la plage jusqu'à un passage menant de l'autre côté. À la place, les créatures des montagnes s'arrêtèrent sur la berge et se défirent de leurs sacs.

Mais ils ne firent aucune pause. Sénid les vit chercher parmi les conifères qui couvraient le bas de la pente depuis le lac jusqu'à l'assise des premières montagnes. Le Viking regarda avec étonnement les yétis déplacer des arbres et des branches qui dissimulaient de larges blocs de glace. Il ne comprenait pas comment ces blocs avaient pu se retrouver si hauts sur la pente. Quand les yétis les tirèrent de leur cachette et les mirent à l'eau, il nota leur forme rectangulaire et l'avant qui se terminait en pointe. Il réalisa qu'il s'agissait de bateaux.

Des bateaux en glace !

— C'est une blague ! s'écria Aleel, rejoignant sans le savoir la pensée du Viking.

— Ils semblent tout ce qu'il y a de plus sérieux, commenta Nolate. Apparemment, nous allons naviguer.

Il n'avait pas l'air enchanté par cette éventualité. La peur de l'eau des centaures était notoire dans le Monde connu. Pour le rassurer, Sénid examina les embarcations. Il remarqua que des branches renforçaient la glace qui avait été sculptée. Les Vikings construisaient souvent des ponts avec cette méthode, pour franchir les cours d'eau l'hiver. Les bateaux feraient sans doute l'affaire pour la traversée du lac, mais il aurait préféré un bon drakkar.

Elbare revint près d'eux pour répéter les explications des yétis.

— Nos hôtes affirment qu'ils fabriquent des embarcations de ce genre depuis des générations. Ils s'en servent pour le transport de marchandises, la pêche et la chasse aux phoques. S'ils utilisent ces bateaux depuis si longtemps, ils savent comment les manœuvrer de façon sécuritaire.

— Je suis sûr qu'il n'y a rien à craindre, fit Sénid, pour rassurer son mentor. J'ai examiné ces embarcations pendant qu'Elbare discutait avec nos hôtes. Si elles supportent un navigateur yéti et sa marchandise, elles pourront nous transporter sans problème.

Nolate ne répondit pas, mais sa nervosité restait flagrante.

Les yétis mirent trois embarcations à l'eau. Sénid et Elbare montèrent dans la première. Le Viking nota le fond plat du bateau, couvert d'une fourrure pour éviter aux occupants de glisser. Aleel et Twilop grimpèrent dans le suivant. Il fallut quelques secondes pour que Nolate se décide à embarquer dans le troisième, et encore, il ne le fit qu'avec l'aide du yéti qui le piloterait. Le centaure se coucha dans le fond de l'étonnante barque, non sans agripper fermement un bout de branche qui dépassait de la structure de glace et tenait lieu de rambarde.

Le yéti chargé de l'embarcation du versev et du Viking repoussa la rive à l'aide d'une longue perche. Le bateau s'enfonça jusqu'à ce qu'il ne reste que quelques décimètres de la rambarde à dépasser le niveau du lac. Quelques vaguelettes grimpèrent même sur le rebord. Sénid ne s'en inquiéta qu'un court moment. La glace flottait d'elle-même et il n'y avait donc aucun risque que l'eau s'infiltre en quantité suffisante pour entraîner un naufrage.

Le bateau avança rapidement. Son pilote manœuvra entre les glaces flottantes, contournant les quelques sections qui s'étaient agglutinées en banquises. En fait, le yéti cherchait à longer ces bancs de glace et s'y appuyait de sa perche pour avancer plus vite. Sénid regarda les autres embarcations d'un œil approbateur. Les yétis étaient d'habiles navigateurs.

— Cette île ne me dit rien qui vaille, commenta Elbare.

Sénid regarda vers l'avant.

— Tu ne vois pas là une île, mais un iceberg. Ce lac ne porte pas son nom sans raison !

— Un iceberg ?

Le Viking expliqua comment des masses de glace se détachaient parfois du Grand Glacier, un couvercle de glace couvrant le sol à perte de vue, pour dériver jusqu'à leur fonte complète. L'iceberg qu'ils regardaient avait la hauteur d'un édifice de trois étages. C'était un nain en comparaison des montagnes de glace qui passaient occasionnellement à l'embouchure du fjord des Dragons, à Dragonberg. Il arrivait même que l'un de ces géants bloque la navigation pendant des mois, voire une année entière.

— C'est catastrophique ! s'écria le versev. Que faites-vous, dans ces cas-là ?

— Nous faisons transiter les marchandises par voie terrestre, dit Sénid. Cela prend plus de temps et la route est assez dangereuse, particulièrement lorsque les dragons sont en surnombre. Ils attaquent alors les caravanes reliant Dragonberg et Thorhammer. Par chance, de tels icebergs ne nous ont pas compliqué la vie depuis une dizaine d'années.

— Et les dragons ?

— Ne t'inquiète pas, rétorqua Sénid. Nous ne passerons même pas par là.

Sénid aurait pourtant aimé faire un détour par Dragonberg. Il avait beaucoup d'amis dans son village natal et leur aide pour persuader les Vikings de se rallier à leur cause aurait été la bienvenue. Surtout, il aurait revu Waram, son complice de toujours depuis aussi loin qu'il parvenait à se souvenir. En fait, Sénid aurait essayé de le convaincre de les accompagner dans leur mission.

Le Viking oublia cette possibilité et préféra profiter de la croisière inusitée. L'embarcation contourna l'iceberg, révélant plusieurs autres masses de glace qui couvraient le lac jusqu'à l'horizon. La traversée prendrait une bonne partie de la journée et peut-être de la nuit. Heureusement, en début d'été, le soleil ne se couchait que deux heures et l'obscurité n'avait pas le temps de s'installer avant l'aube. Ils n'auraient donc pas à naviguer dans les ténèbres, une perspective qui aurait pu effrayer ses compagnons de voyage.

CHAPITRE ONZE

Un rayon de soleil réveilla Nolate. Il s'étira sous sa couverture, profitant de quelques instants supplémentaires de confort. Le centaure rejeta ensuite la fourrure, curieux de découvrir où les avait amenés l'étrange voyage maritime. Il redressa le torse et vit dans leur sillage le reflet du soleil sur la surface miroitante du lac. Quelques glaçons s'agitaient paresseusement au gré de petites vagues. Il n'y avait aucun iceberg en vue.

Nolate s'étonnait d'être parvenu à s'endormir, en dépit de sa frayeur. Il partageait pourtant la peur atavique de l'eau de son espèce et il avait craint le pire au cours de ce voyage lacustre. Aucun centaure ne voyageait par bateau ; la nécessité de franchir un pont les rendait déjà nerveux. Quant à la baignade en eau profonde, il n'en était pas question. Nolate n'avait jamais entendu parler d'un centaure sachant nager. Que le déplacement se fût déroulé aussi calmement l'avait sûrement aidé à surmonter ses craintes. Il n'avait même pas ressenti de nausée.

Lorsqu'il tourna le regard vers l'ouest, face à eux, Nolate découvrit qu'ils approchaient d'un rivage. Le paysage ne ressemblait en rien à celui qu'ils avaient quitté la veille. Ici, pas de montagnes ni de forêts. Son pilote yéti dirigeait leur embarcation vers un sol dénudé, fait d'un sable presque noir parsemé de rochers épars. Une magnifique désolation aux yeux du centaure. Il retrouverait bientôt un sol ferme sous ses sabots.

Tout près, dans une autre barque, Twilop le saluait d'un geste de la main. Nolate se sentit effrayé pour elle de la voir debout dans le bateau de glace. L'hermaphroïde ne se tenait même pas à la rambarde ! Il repéra le troisième bateau, qui les précédait de quelques longueurs. L'embarcation d'Elbare et de Sénid accosta, suivie de près par celle qui transportait Aleel et Twilop. Ce fut ensuite le tour du bateau dans lequel se trouvait Nolate. Le centaure accepta avec reconnaissance l'aide de ses compagnons de voyage pour regagner la terre ferme.

La sensation de ce sable mouillé sous ses sabots lui fut si agréable qu'il dut se retenir pour ne pas s'agenouiller et embrasser le sol. Il fit quelques pas afin de se dégourdir les pattes. Rassuré, il revint vers ses amis. Ces derniers avaient récupéré les bagages et en avaient fait un tas sur la plage. Les yétis poussaient déjà leurs barques à l'eau. L'heure des adieux était arrivée.

— Remercie-les chaleureusement, souffla Nolate. Dis-leur bien que nous leur sommes à jamais redevables.

Elbare traduisit les propos, auxquels leurs sauveteurs répondirent, trop vite pour que le centaure parvienne à saisir leurs paroles.

— Nos hôtes nous souhaitent la meilleure des chances dans notre mission, expliqua Elbare. Ils continuent cependant de croire que les montagnes assureront leur sécurité, quoi qu'il arrive.

Les yétis grimpèrent dans leurs bateaux et les poussèrent vers le large. Nolate les vit s'éloigner sur les eaux calmes du lac Iceberg. Habituées à se dissimuler, les créatures furent bien vite difficiles à distinguer parmi les glaces flottantes. Le centaure savait où regarder, et pourtant il n'était déjà plus certain de leur position exacte. Les bateaux de glace démontraient ainsi un autre de leurs avantages, le camouflage.

— Voilà, fit-il. Nous sommes de nouveau seuls. Établissons la route à suivre. Sénid, nous sommes dans ton pays. Que suggères-tu ?

Le Viking parut songeur quelques instants. Il regarda autour de lui, à la recherche de points de repère. Nolate apercevait des montagnes, loin à l'horizon. Il s'efforçait de se remémorer les détails de la carte, le parchemin ayant disparu avec la mule. La seule chaîne de montagnes de ce côté du lac était celle qui séparait la zone habitable du Nord du Grand Glacier.

— J'ignore notre position exacte, expliqua le Viking. Personne ne vit dans cette région. Toutefois, ces montagnes constituent une indication. Il faudra les franchir pour gagner Hypérion.

— J'espère que cela ne compliquera pas trop notre progression, commenta Twilop.

— Il n'y a aucune raison pour cela, fit Sénid, rassurant. Deux ou trois jours de marche devraient nous amener dans les environs de Nordique. Cette petite ville se trouve juste à l'amorce de la route de la crête, qui mène à Hypérion. La partie abandonnée devrait être en assez bon état, conservée par le climat.

— Splendide ! s'écria Aleel. Encore une route abandonnée…

— Je suis étonné que cette ville soit toujours habitée, ajouta Elbare. Elle se situe plutôt loin des autres centres, non ?

— Certes, concéda Sénid. Cela n'a cependant rien d'étonnant ! On trouve de nombreuses sources chaudes dans les cavernes des montagnes environnantes. Les gens viennent s'y baigner pour se détendre, car on leur attribue des vertus curatives.

— Nous devons donc marcher vers l'ouest pour gagner cette route, conclut Nolate.

Sénid désapprouva de la tête.

— Ce serait l'idéal, dit-il, mais nous n'en ferons rien. Nous allons remonter vers le nord jusqu'aux montagnes qui bordent le Grand Glacier. Ainsi, nous éviterons les habitations qui se trouvent tout le long de cette route et garderons secrète notre présence ici. Une expédition aussi hétéroclite que la nôtre attire beaucoup l'attention.

Nolate aimait peu l'idée de devoir côtoyer à nouveau la neige et la glace. Il entérina cependant le choix de Sénid, sachant qu'ils n'avaient pas entrepris un voyage d'agrément. Le Viking se rendit au lac pour y remplir les gourdes. Le centaure apprécia la prévoyance de son élève, même s'il se doutait que, si près des glaciers, les réserves d'eau ne constitueraient pas un problème. Les vivres, en revanche…

Sénid réfléchit quelques instants à ce problème.

— Étant donné que je suis humain et Viking, lança-t-il, je pourrai me rendre à Nordique sans attirer l'attention. J'acquerrai du ravitaillement et prendrai quelques nouvelles des affaires du monde.

— Très bien, conclut Nolate. Ce risque me semble acceptable… Partons, à présent.

Ils se mirent en route dans un paysage désolé. Hormis quelques plaques de mousse qui couvraient les rochers, il n'y avait aucune végétation pour égayer cette plaine. Au loin, vers le nord, une chaîne de montagnes se profilait. Nolate estima qu'ils l'atteindraient en fin de journée. Cette chaîne leur servirait de guide, car ils ne pourraient pas se perdre en la longeant. Le constat ne le réjouissait que modérément. Bien des dangers pourraient encore survenir sur leur route.

Dire qu'ils n'avaient même pas encore trouvé le premier morceau de Pentacle !

Sénid n'était jamais venu à Nordique. Il avait séjourné en quelques occasions à Thorhammer, la capitale viking, et il avait déjà vu d'autres villes et villages du Nord. Deux ans plus tôt, son voyage vers Capitalia lui avait fait traverser des villages humains non vikings, sur la rive gauche de l'Égral. Puis il avait découvert la capitale du Monde connu et ses merveilles architecturales. Nordique n'aurait jamais pu prétendre rivaliser avec cette opulence. Pourtant, son charme séduisit aussitôt Sénid.

Nordique était bâtie sur une petite colline, au pied des montagnes bordant le Grand Glacier. Dans sa partie basse, les maisons en tourbe et les isbas formaient un ensemble disparate autour d'un édifice plus important, la maison de l'althig local, le siège du gouvernement de la ville. En cela, Nordique ressemblait aux autres communautés vikings.

Sénid aurait pu se croire de retour chez lui, à Dragonberg, sauf que Nordique ne se trouvait pas en bord de mer au fond d'un fjord. De plus, des édifices en pierres et en briques à l'arrière-plan achevaient de briser l'illusion. Ces tours millénaires rappelaient les jours passés, quand cette ville était un avant-poste viking sur la route d'Hypérion. Il ne se construisait plus de tours semblables dans le monde, pas même à Capitalia.

Sénid entra dans la ville. Il était heureux de retrouver un milieu familier. Il ne perdit cependant pas de vue la nature de leur mission. Les troupes du Pentacle ne devaient pas encore les rechercher, mais cela se produirait incessamment. Il devait éviter d'attirer l'attention autant que possible pour garder le secret sur leur expédition et atteindre sans encombre Thorhammer.

Il y avait foule au marché. Sénid vit plusieurs compatriotes, mais aussi des humains non vikings. Les sources chaudes de Nordique attiraient des curistes des deux rives de l'Égral. Sénid s'attarda devant quelques étals, ignorant les vendeurs de viande fraîche et d'autres produits périssables. Il négocia un peu de viande séchée et acheta des fruits. En vérité, il leur fallait assez peu de vivres, juste le nécessaire pour leur séjour à Hypérion. Pour le reste, la chasse et un peu de cueillette devraient suffire. Il passa donc à l'élément suivant de sa liste.

L'armurier tenait boutique non loin de la maison du conseil.

— Bonjour à toi, l'ami, lança le commerçant en voyant Sénid approcher. J'ai pour toi des armes magnifiques. Cherches-tu une épée ? Je fabrique les meilleures de tout le Nord.

Sénid sourit. Il retrouvait un milieu qu'il n'avait pas côtoyé depuis son départ pour Capitalia. D'entendre l'armurier vanter à l'excès sa marchandise lui rappela sa jeunesse, quand il traversait un marché avec ses parents. Il en avait été ainsi aux étals précédents. Autrefois, Sénid trouvait cette propension à l'exagération agaçante. Il découvrait à présent à quel point cela lui avait manqué.

— Je suis satisfait de la mienne, sourit Sénid. Il me faudrait plutôt un arc et des flèches.

Sénid venait équiper Nolate, qui avait perdu son arme dans l'avalanche et brûlé ses flèches pour se chauffer.

— Un arc et des... Ce n'est pas sérieux ! Un bon guerrier se bat au corps à corps, pas avec des jouets.

— C'est pour un ami, répliqua Sénid. Son talent à la chasse n'a pas son égal. Il lui faut donc un équipement fait par le meilleur des artisans. Des flèches aux pointes acérées à souhait, vois-tu !

— Pour cela, tu es au bon endroit, poursuivit l'armurier. J'ai l'œil perçant et les doigts agiles. Ton ami est-il doté d'une grande force physique ?

— C'est un costaud ! confirma Sénid.

Les centaures étaient en effet très vigoureux. Dans les mains de Nolate, un arc humain classique aurait pris des airs de jouet pour enfant. À l'Académie, Sénid avait déjà essayé de tirer avec un arc de centaure. En un après-midi, il avait à peine réussi un tir acceptable et avait souffert de crampes dans les bras durant quelques jours. Le Viking se rappelait la tentative infructueuse de Twilop, quelques jours après leur départ de la caravane. Non, décidément, avec un arc ordinaire, maître Nolate gaspillerait ses capacités.

— Dans ce cas, fit l'armurier, j'ai exactement ce qui conviendra à ton ami. Un arc si puissant que même un centaure ne trouverait pas à redire.

L'armurier se rendit au fond de sa boutique. Il revint presque aussitôt avec un arc de bonne taille. Sénid l'examina avec soin. Si le commerçant avait exagéré concernant la puissance de l'arc, il s'agissait néanmoins d'une arme de qualité. Les flèches aussi semblaient de bonne facture, bien que légèrement plus courtes que celles qu'utilisaient les centaures. Quant aux pointes, elles étaient conçues pour pénétrer profondément et tuer sans blesser inutilement. Sénid sourit. La réputation de vantard des commerçants vikings était justifiée, mais ils n'escroquaient jamais leurs clients.

Sénid annonça qu'il achetait l'arc.

— Ton ami chasseur sera content, commenta le commerçant. Mais pour toi ? Peut-être aimerais-tu compléter ton armement avec une dague. Regarde celle-ci… Je suis certain que tu n'as pas vu sa pareille pendant ton séjour à Capitalia.

Estomaqué, Sénid dut chercher ses mots avant de répondre.

— Tu fais erreur, l'ami, fit-il. Je ne viens pas de Capitalia.

— Allons donc, objecta le commerçant. Tu marches comme un soldat de la garde du Pentacle, tu portes ton épée comme un garde du Pentacle et tu as même un brin de l'accent capitalien. À mon avis, voilà une étrange série de coïncidences, n'est-ce pas ?

Sénid ne trouva rien à répondre. Il grommela qu'il avait séjourné quelque temps dans le Centre, sans mentionner sa formation au sein de la garde. Il paya l'arc et les flèches et salua l'armurier, désormais pressé de quitter Nordique. Si le commerçant avait pu en déduire autant en une si courte rencontre, les autres marchands avaient sûrement fait de même. Les passants aussi et même les Nordiquois, depuis le seuil de leur maison, devaient avoir remarqué sa démarche. Combien de personnes l'avaient regardé depuis son entrée dans la ville ?

Il s'efforça de recouvrer son calme. Peut-être s'inquiétait-il inutilement. Nombreux étaient ses compatriotes qui se rendaient à Capitalia et certains devenaient soldats, même si la plupart intégraient plutôt la marine. Sénid n'avait sans doute pas à redouter que ce détail soit connu. Après tout, il n'était pas un criminel en fuite, ni un déserteur ! Et personne ne soupçonnait sa présence dans cette partie du Monde connu.

Sénid se souvint de ce soldat de la caravane qui s'était embarqué sur un navire au Grand Canal. Ils avaient supposé qu'il rentrait pour rendre compte de l'attaque des pillards contre la caravane, et ils n'y avaient plus pensé par la suite. Lama-Thiva devait savoir à présent que Twilop n'avait jamais rejoint Raglafart. Elle enverrait certainement des troupes à sa recherche. Des soldats interrogeraient les gens et l'armurier se rappellerait un Viking qui tentait de nier son passage à Capitalia. L'inquiétude de Sénid redoubla. Ils avaient peut-être moins de temps devant eux que ce qu'ils escomptaient.

Le Viking franchit les limites de la ville avec l'impression qu'on l'épiait.

✪ ✪ ✪

Depuis trois jours qu'ils avançaient sur la crête, le paysage restait toujours le même. Twilop regardait tantôt à gauche, tantôt à droite. De chaque côté de la route, la blancheur de la plaine glacée reflétait le soleil. Après le passage dans les monts Yétis, elle avait redouté que tant de blancheur lui sape le moral. Étrangement, il n'en était rien.

Était-ce à cause du beau temps ? Depuis que Sénid les avait rejoints avec quelques vivres et un arc pour Nolate, une surprise que le centaure avait appréciée, le ciel avait été constamment dégagé. De plus, l'hermaphroïde avait découvert avec étonnement que dans la région le soleil ne se couchait pas. Plutôt que de disparaître sous l'horizon ouest, l'astre diurne descendait au-dessus de la plaine jusqu'à toucher partiellement l'horizon pendant quelques minutes au nord avant de remonter vers l'est.

Le Viking avait nommé ce phénomène *soleil de minuit*. Il avait aussi expliqué qu'il ne durait qu'un mois et que l'hiver le phénomène contraire se produisait. Au moment du passage à la nouvelle année, le soleil ne se levait pas ; seule une lueur aurorale au sud révélait sa présence, quand arrivait la mi-journée. Twilop était bien contente qu'ils n'aient pas choisi l'hiver pour chercher à rejoindre Hypérion. Une nuit éternelle aurait été trop déprimante.

— Croyez-vous que nous trouverons un autre fortin avant la nuit ? demanda-t-elle. Enfin, je veux dire pour dresser un camp, car il n'y a pas de nuit ici.

Sénid partit d'un rire très bref.

— Nous parlons de nuit même si le soleil reste au-dessus de l'horizon, expliqua-t-il. Inutile de compliquer les conversations, n'est-ce pas ?

— Évidemment, c'est plus pratique, approuva l'hermaphroïde.

— Nous avons trouvé des fortins tout au long de notre route, intervint Nolate. Ils étaient si bien conservés que je ne vois pas pourquoi le prochain ne pourrait pas nous abriter.

— Ce ne sera peut-être pas nécessaire, commenta Sénid. Nous marchons depuis deux jours. Nous avons progressé si vite que notre prochaine halte devrait se faire à Hypérion même.

L'éventualité fit grimper d'un cran l'optimisme de Twilop. La perspective de découvrir de ses propres yeux la légendaire cité d'Hypérion valait à elle seule les efforts du voyage. Ses lectures dans la bibliothèque de Pakir décrivaient la ville abandonnée comme étant plus splendide que Capitalia. Les textes parlaient d'imposants édifices en pierre et de somptueux palais. Des illustrations prouvaient ces affirmations. L'hermaphroïde s'était toujours demandé si les conteurs avaient exagéré. Elle le découvrirait bientôt.

La halte de la veille leur avait réservé une excellente surprise. Ils avaient trouvé un fortin, comme le premier soir, car ils étaient nombreux le long de la route de la Crête. La plupart avaient fort bien résisté aux outrages du temps. Celui de la veille disposait en plus d'une source d'eau chaude. Sénid avait expliqué que plusieurs sources du genre existaient dans cette région. Cela confirmait les écrits anciens, qui prétendaient qu'Hypérion était chauffée de cette façon. À Capitalia, il n'était quasiment jamais nécessaire de chauffer les habitations et, lorsque le besoin s'en faisait sentir, les citadins utilisaient du bois ou du charbon.

Ils avaient donc profité de la chaleur de la source pour dormir au chaud et, surtout, chacun avait pu prendre un bain relaxant. Elbare avait en plus trouvé un coin de terre meuble pour y plonger ses orteils racines et se transformer en arbre pendant quelques heures. Il avait réussi à se nourrir autant qu'en trois jours de repas pris sous sa forme bipède !

Le chemin serpentait au sommet de l'arête montagneuse, ce qui les plaçait le plus souvent à plusieurs mètres au-dessus du paysage environnant. Ils devaient rarement franchir des congères, et encore, elles étaient toujours de petites dimensions. Le reste du temps, ils foulaient un sol bien dégagé. Le vent avait balayé la neige et le soleil, éliminé toute trace de glace. Le sentier grimpait légèrement. Ce qu'ils virent une fois passé le sommet les figea de stupeur. À partir de ce point, le sentier descendait sur plusieurs kilomètres.

Et là, au bout de cette route, Hypérion.

— Incroyable ! souffla Aleel.

— Stupéfiant ! renchérit Elbare sur le même ton.

Le spectacle était si époustouflant que personne n'osait hausser le ton, comme si un seul mot lancé trop fort pouvait briser le charme de l'instant présent. Les exclamations successives de la cyclope et du versev prouvèrent à Twilop que son propre émerveillement ne devait rien à l'isolement où elle était confinée à Capitalia. Elbare n'avait guère vu plus qu'elle du Monde connu. Aleel, en revanche, avait beaucoup voyagé.

— C'est encore plus beau que je ne l'avais imaginé, commenta Sénid.

Hypérion paraissait moins grande que Capitalia, contrairement à ce que prétendaient les écrits. Mais l'absence de point de repère dans le paysage rendait difficile toute appréciation de la taille exacte de la ville. Le mur d'enceinte était abîmé à l'est et la neige l'avait enseveli à l'ouest. Hormis ces témoins du millénaire écoulé, Hypérion avait parfaitement résisté aux éléments.

L'hermaphroïde se demandait par quel prodige la cité avait pu conserver son aspect d'antan. Il devait y avoir un lien avec le froid permanent qui sévissait dans la région. Ici, pas de succession de gel et de dégel pour fendre la pierre et abattre les murs. Hypérion avait résisté un millénaire et serait sans doute toujours debout dans les prochains siècles.

La ville n'arborait pas la variété architecturale de Capitalia. Malgré tout, elle resplendissait tel un joyau. L'hermaphroïde distingua plusieurs tours qui lui semblèrent aussi hautes que celle du palais du Pentacle. Elles paraissaient faites d'une pierre grise plutôt que blanche et d'une forme hexagonale ou octogonale, un détail difficile à percevoir de cette distance. Au centre, le château royal faisait paraître le palais du Pentacle bien ordinaire. Chacune de ses trois tours surpassait les édifices les plus hauts de la ville viking.

Elle vit aussi quelques nuages de fumée.

— Quelqu'un vit ici ?

— Cela m'étonnerait, objecta Sénid. Je n'ai jamais entendu dire que quelqu'un était revenu s'installer ici. La blancheur de ces nuages révèle qu'ils sont composés de vapeur, pas de fumée. Les nombreuses sources qui chauffaient la cité ne se sont pas taries, apparemment.

Ils restèrent là un moment à admirer la ville, avant de se décider à s'engager sur la pente. Ils hâtèrent le pas, tant l'impatience de découvrir Hypérion les rongeait. Pourtant, la cité viking paraissait toujours aussi lointaine. Twilop se rappela son appréciation précédente des dimensions d'Hypérion. La cité oubliée était peut-être plus vaste que Capitalia, en fin de compte.

Twilop marcha plus vite mais, contrairement à ses compagnons, elle avait une autre raison de se presser vers la ville viking. Depuis le début de l'expédition, elle s'était sentie plus que souvent inutile. Ses tentatives pour manier les armes ou apprendre le combat à mains nues donnaient de piètres résultats et ses connaissances linguistiques ne lui avaient pas permis de communiquer avec les yétis. Dans cette cité perdue, son inutilité prendrait fin.

Quelque part dans Hypérion, un morceau du Pentacle l'attendait.

CHAPITRE DOUZE

Mille ans plus tôt, les Vikings avaient évacué Hypérion pour éviter que les géants ne massacrent la population et ne rasent la ville. Les raisons pour lesquelles ils n'y étaient jamais retournés, une fois la paix revenue, s'étaient perdues dans les méandres de l'histoire. Peut-être avaient-ils réalisé que l'éloignement de la capitale retardait les prises de décision et facilitait la tâche des ennemis ? Quoi qu'il en soit, ils avaient quitté la cité dans la discipline, sans panique ni pillage. Même les lourds battants en bois des portes, restées entrouvertes, paraissaient en bon état.

Sénid fut le premier à entrer dans la ville de ses ancêtres. Depuis qu'ils avaient aperçu Hypérion, au sommet de la crête, ils avançaient d'un bon pas vers leur destination. Personne ne parlait, comme s'ils craignaient de commettre un sacrilège en brisant le silence qui enveloppait la ville depuis dix siècles. Son émotion atteignit son paroxysme quand il franchit le portail. Ce qu'il avait admiré de loin, il pouvait à présent le toucher.

— Splendide, murmura-t-il.

Il marcha jusqu'au mur le plus près, admiratif devant les détails architecturaux qui révélaient la richesse de la civilisation viking. Des sculptures représentant des animaux nordiques et les dieux de leur panthéon ornaient les façades des édifices. Certaines fresques avaient disparu, effacées par les siècles. Sénid le déplorait, mais il se consolait en songeant que presque tout était intact. Les années écoulées n'avaient pu effacer les traces du passage de ses ancêtres dans le Monde connu.

— Fantastique ! renchérit-il en se tournant vers ses compagnons d'aventure. Je veux tout voir. Venez, il faut visiter !

— Je comprends ce que tu ressens, intervint Nolate. Nous découvrons ici un monument de l'histoire du monde. Cependant, il ne faut par perdre de vue que nous avons une raison précise de nous trouver ici.

Sénid accepta la remontrance. Enthousiasmé par la découverte, il en avait oublié leur mission. Il regarda encore quelques instants la fresque qui ornait le mur le plus près. Elle semblait faire partie de la façade de l'habitation d'un particulier. À Capitalia, l'ensemble des bâtiments de cette rue aurait été celui d'un quartier riche. À Hypérion, l'architecture de ce coin de la ville laissait penser qu'il s'agissait d'un quartier banal parmi les autres.

— Où devons-nous aller ? demanda Elbare. Twilop, tu as parlé du palais royal, si je me souviens bien…

— C'est exact. Les messagers dépêchés aux confins du Monde connu sont revenus expliquer ce qu'ils avaient fait de leur morceau respectif. Celui qui est venu à Hypérion a plutôt envoyé un pigeon avec un court message stipulant que le morceau se trouvait dans la salle du trésor royal.

Compte tenu de la taille de la cité, la précision prenait une importance cruciale. Sénid imagina un instant ce qu'aurait été leur mission s'ils n'avaient eu pour seule information que le nom de la ville. L'idée même de chercher au hasard une pièce de métal tenant dans le creux de la main dans tout Hypérion relevait de la folie. Ils étaient cinq et pourtant ils pourraient passer leur vie entière dans la cité sans en découvrir tous les recoins.

— Il est plus que probable que la salle a été vidée lors de l'évacuation, commenta Aleel. Le morceau ne sera pas perdu à travers un amoncellement de joyaux anciens.

— En plus, notre amie Twilop possède le don de sentir la présence du Pentacle, rappela Nolate. Rendons-nous au palais, à présent !

Ils avancèrent dans la large avenue. Sénid lui trouvait une ressemblance avec l'allée principale qui aboutissait au palais du Pentacle, à Capitalia, à ceci près que les monuments et parcs qui la bordaient reflétaient la culture viking. Quelques minutes plus tard, ils croisèrent une rue plus large encore au bout de laquelle, ils virent le palais royal. Cette fois, le siège du pouvoir du Monde connu était largement surpassé.

Les tours hexagonales qu'ils avaient aperçues de la crête encadraient un château deux fois plus grand que le palais du Pentacle. Des statues de trois mètres à l'effigie d'hommes et de femmes embellissaient l'allée qui y menait. Les visages en pierre exprimaient la sérénité propre aux grands personnages, ceux qui ne ressentaient pas le besoin d'afficher un air hautain envers leurs semblables. Sénid tenta de lire les textes gravés sur les socles. Il arriva à peine à décrypter les noms, la langue ayant trop changé en un millénaire.

— Les rois et les reines des temps anciens ? suggéra Aleel. Des décorations semblables ornent le château des Agnarut, à Œculus.

— Des rois et des reines, confirma Sénid. Ce sont à peu près les seuls mots que je parviens à déchiffrer sur les socles. Ainsi que les noms, évidemment.

Le large escalier en deux paliers que gravit le groupe coupait l'allée entre le carrefour et les portes du château. Contrairement à celles de la ville, ces portes étaient fermées. Sénid s'avança et examina un moment un battant. Sans doute était-il coincé. Il se décida à pousser. À son grand étonnement, la porte s'entrouvrit de quelques décimètres. Elle résista par la suite, mais Nolate vint pousser à son tour. La force du centaure permit de déplacer un peu plus le battant, assez pour permettre à tous de passer.

La pénombre de l'intérieur surprit le groupe. Ils s'étaient habitués au jour permanent qui régnait sur la région. Heureusement, les nombreuses fenêtres laissaient entrer assez de lumière. Sénid attendit que son regard s'habitue à cet éclairage réduit. L'intérieur du château reflétait à son tour la grandeur de la civilisation viking. Il trouvait toutefois que les murs nus ne rendaient pas justice à la gloire passée de son peuple.

— De ce côté, souffla-t-il.

Ils longèrent le large corridor. Le claquement des sabots de Nolate sur le dallage se répercutait en un écho troublant contre les murs et le plafond. Sénid remarqua les alcôves vides qui avaient dû contenir d'autres statues et œuvres d'art. Certaines s'étaient retrouvées à Capitalia, quelques-unes à Thorhammer, mais combien avaient été perdues à jamais ?

Ils gagnèrent la salle du trône, que Sénid trouva moins impressionnante qu'il ne l'aurait cru. Elle paraissait vaste uniquement en raison de son dénuement. Le trône était toujours en place sur une estrade assez peu élevée. Là encore, Sénid y vit une marque de la grandeur de son peuple, qui avait choisi une pièce plus modeste pour ne pas intimider les visiteurs. C'était tout le contraire de la salle du palais du Pentacle, qu'il avait déjà vue une fois.

— Je crois que la salle du trésor est de ce côté, supposa-t-il.

Ils entrèrent dans une pièce tout en longueur, vide elle aussi. Cette fois, l'absence de fenêtres obligea Nolate à allumer une torche. La lumière révéla des étagères vides sur lesquelles les biens les plus précieux du royaume ancien avaient dû être entreposés. La fouille approfondie d'un pareil endroit aurait pris plusieurs jours sans le don de Twilop de ressentir la présence du Pentacle. Sénid se tourna vers sa camarade de mission. Il fronça les sourcils. L'hermaphroïde semblait sous le choc, comme à la suite d'une mauvaise nouvelle.

— Je ne ressens rien, expliqua Twilop.

★ ★ ★

Il fallut quelques secondes à Aleel pour réaliser les implications de ce que venait d'annoncer l'hermaphroïde. En une seule phrase, Twilop venait de jeter la consternation dans le groupe. Ils avaient parcouru des centaines de kilomètres pendant plus d'un mois et échappé aux pillards lors de l'attaque du col de l'Armistice. Ils avaient réussi à quitter la caravane sans être repérés et survécu aux rigueurs d'un climat hostile, grâce à des alliés inattendus. Tout cela pour rejoindre cette ville et y récupérer un premier morceau de Pentacle. En vain, semblait-il.

— Tu en es sûre ? demanda Elbare.

— Je sais ce que je ressens, tout de même ! s'emporta Twilop.

Elle paraissait plus choquée que peinée, comme si elle avait l'impression de leur faire défaut.

— Restons calmes, intervint Nolate. Tu es peut-être trop loin pour percevoir sa présence.

— À Capitalia, je ressens la proximité du morceau de Pentacle à cent mètres ! riposta Twilop. Je vous dis qu'il n'est pas ici !

L'hermaphroïde se détourna et s'éloigna de quelques pas. Elle s'arrêta devant le mur, dos tourné au reste du groupe. Aleel s'approcha de son amie pour la réconforter. Elle fut étonnée de voir une larme couler de l'œil de Twilop. De toute évidence, l'hermaphroïde prenait ce contretemps beaucoup trop à cœur.

— Pas de panique ! renchérit le centaure. Il peut se trouver ailleurs dans le palais, ou même quelque part dans la ville.

— Nolate a raison, approuva Aleel. Tu ne dois pas te décourager si vite.

— J'ai pourtant lu *Trésor royal* à l'entrée, objecta le Viking. La langue a bien évolué en mille ans, mais je suis sûr de mon fait.

Aleel lui jeta un regard noir.

— Mais il y a d'autres possibilités, se reprit le Viking. Le messager peut avoir changé d'idée après avoir envoyé le pigeon…

— Tu vois ? fit Aleel. Nous parcourrons la ville et trouverons le morceau. C'est une vaste cité, mais nous en viendrons à bout, j'en suis persuadée !

— Il y a une autre possibilité, souffla l'hermaphroïde.

Twilop se retourna et sécha ses larmes sur la manche de son manteau de fourrure.

— Comme vous le savez, rappela-t-elle, maîtresse Lama m'a créée à partir de son morceau. Maître Pakir et moi n'étions pas certains que je pourrais sentir la présence des autres.

La révélation fut un choc pour Aleel. Elle vit que Sénid réagissait tout aussi mal. Pour Elbare, c'était moins évident, car elle connaissait peu les expressions corporelles des versevs. Pour l'avoir côtoyé depuis qu'il s'était joint à leur groupe, la cyclope pensait toutefois deviner son désarroi. Curieusement, Nolate semblait le moins surpris de tous. Aleel croisa son regard et sentit un malaise chez le centaure. Cela éveilla sa colère.

— Vous le saviez ? demanda-t-elle.

— Maître Pakir a évoqué cette possibilité, avoua Nolate. Elle paraissait cependant trop peu probable pour l'envisager sérieusement. Les différents pouvoirs du Pentacle ne prennent pas place chacun dans leur coin, vous savez.

— Et quand comptiez-vous nous en informer ? intervint Elbare.

Le centaure leva une main dans un geste d'apaisement.

— Il est inutile de paniquer. Avant de songer au pire, éliminons des possibilités. Selon le message de l'envoyé de maître Pakir, ce que nous cherchons se trouve dans la salle du trésor. Si c'est le cas, cela signifie que Twilop ne peut sentir la présence des autres parties du Pentacle. Il nous faudra donc fouiller cette pièce de fond en comble. Si notre amie peut les sentir, celui que nous cherchons ne se trouve pas ici. Nous pourrions alors nous promener en ville jusqu'à ce que Twilop nous signale la présence du morceau.

— La fouille de la ville prendra beaucoup de temps, rappela Sénid. Hypérion est une cité très vaste.

— Voilà pourquoi je suggère que nous formions deux équipes, conclut Nolate. Je resterai avec Aleel et Elbare pour fouiller cette pièce pendant que tu amèneras Twilop explorer les environs du château. Rejoignez-nous à la fin de la journée.

Le Viking hocha la tête et invita Twilop à le suivre d'un geste de la main. Aleel regarda ses compagnons quitter la pièce et reporta son attention sur la tâche qui les attendait. Sans un mot, elle alluma une autre torche et entreprit l'inspection de la première étagère. Beaucoup de poussière s'y était accumulée en un millénaire. La fouille de la salle du trésor s'annonçait difficile.

— Que ferons-nous si nous ne trouvons pas ? demanda Aleel, plus pour meubler le silence qu'autre chose. Sans le Pentacle, la déesse restera en vie et aucun peuple n'osera se soulever.

— Nous saurons les convaincre, répondit Nolate. Je ne pense pas que les gens souhaitent se faire transformer en hermaphroïdes.

Aleel hocha la tête et se remit à fouiller. La recherche lui avait fait perdre de vue que leur mission comportait un deuxième volet. La cyclope se demanda s'ils parviendraient à former la coalition susceptible de renverser Lama-Thiva. Serait-il suffisant de convaincre chacun des peuples des projets de la déesse ? Il fallait l'espérer. En cas d'échec, ils étaient tous condamnés.

❋❋❋

Twilop marchait de nouveau dans la vaste allée reliant la place principale au château. Elle ne portait plus attention à la magnificence d'Hypérion. Pendant leur discussion dans la salle du trésor, le temps s'était couvert et de lourds nuages gris traversaient le ciel. L'hermaphroïde trouvait que le climat s'accordait avec son état d'âme. Elle était vraiment déçue de ne pas avoir senti la présence du morceau de Pentacle.

— Nous allons commencer par ce côté, suggéra Sénid.

— D'accord, fit-elle d'un ton résigné.

— Ne le prends pas si mal, la rassura le Viking. Maître Nolate a sûrement raison, le morceau doit se trouver quelque part ailleurs dans la ville.

— Le message envoyé à maître Pakir mentionnait bien la salle du trésor, rappela Twilop. Il n'y a aucun doute là-dessus. Nous avons peut-être fait ce voyage pour rien… Vous devez me haïr pour mon inutilité.

— Bien sûr que non ! Même si la pire des hypothèses se confirmait et que tu ne puisses sentir la proximité des autres morceaux, personne ne va t'en vouloir. Ce serait tout aussi ridicule que de reprocher à Aleel son œil unique ! Ce n'est pas de ta faute, si tu as été conçue ainsi.

Twilop n'insista pas. Les propos rassurants du Viking ne la consolaient qu'à moitié. Quand elle vivait à Capitalia, Lama lui faisait souvent passer des tests. La déesse n'avait jamais fait preuve de compassion lorsque sa création échouait. Maître Pakir se comportait dif-féremment, mais elle avait cru qu'il constituait un cas particulier. Peut-être était-ce Lama, l'exception, en fin de compte ?

La rue qu'ils avaient choisie menait au quartier ouest de la cité. À présent qu'ils se trouvaient à l'intérieur de la ville abandonnée, l'hermaphroïde réalisait qu'Hypé-rion était plus grande que Capitalia. Il faudrait plusieurs jours, voire des semaines, avant qu'elle passe à proximité du morceau de Pentacle. Quoique, en y réfléchissant, ils n'auraient qu'à emprunter les rues principales, sans s'attarder à chaque ruelle. Dans le cas contraire…

Une étrange vibration se fit sentir sous ses pieds. Twilop s'arrêta, étonnée, ne comprenant pas très bien ce qui se passait. Sénid s'était arrêté aussi, mais il restait calme. Un grondement sourd suivit la vibration, puis un nuage de vapeur apparut dans le ciel une centaine de mètres devant eux. Il s'élevait en formant une colonne qui grimpait à une bonne hauteur avant de s'effilocher à son sommet. Le phénomène ne dura que quelques secondes. Le bruit et les tremblements cessèrent et la colonne se dissipa. Comme leurs pas les menaient dans cette direction, ils arrivèrent devant la source du phéno-mène.

Ils se trouvaient devant un parc couvert d'une boue brunâtre qui maculait en partie les rues environnantes et les bâtiments les plus près. Dans le parc même, la boue semblait vivante ; quelques flaques liquides se couvraient de bulles qui éclataient dans un bruit d'eau bouillante. Un nouveau grondement fut suivi d'un autre jet de vapeur, plus petit celui-là.

Twilop tourna un regard interrogateur vers Sénid.

— Ce sont des geysers, expliqua le Viking, devinant sa question. Des jets d'eau chaude qui jaillissent du sol. Il y en a dans la plaine des dragons, entre Dragonberg et Thorhammer, mais j'ignorais que mes ancêtres avaient érigé un parc de geysers en pleine ville.

— Je n'aurais pas aimé vivre près d'un endroit pareil, commenta l'hermaphroïde.

— Ce parc n'a pas été entretenu, précisa Sénid. Au fil des siècles, la boue a fini par couler hors de ses limites. Tu ne ressens toujours rien concernant le Pentacle ?

Twilop hocha négativement la tête.

— Inutile de nous attarder, dans ce cas. Allons par là.

Ils prirent une nouvelle rue, plus étroite celle-là, qui donnait sur le sud. Ils trouvèrent bien vite des bâtiments mieux conservés. L'ensemble rappelait un quartier rési-dentiel, avec ses maisons soigneusement alignées de part et d'autre de la rue. Si chaque habitation différait de ses voisines dans les détails, il se dégageait de l'ensemble une certaine uniformité.

Twilop frissonna. Elle ressentait un étrange picote-ment au bout des doigts. La température paraissait en baisse, lui semblait-il. Les nuages cachaient encore le soleil, mais elle devinait que la journée s'achevait. Sénid donnerait probablement le signal du retour une fois cette rue traversée. L'hermaphroïde anticipait un bon repas suivi d'un sommeil réparateur. La sensation désagréable disparut au bout de quelques pas et elle se sentit vite bien mieux.

Quelques instants plus tard, elle s'arrêta net.

— Une minute, souffla-t-elle.

Twilop revint en courant jusqu'à l'endroit où elle avait ressenti la démangeaison. Le fourmillement la reprit lorsqu'elle repassa au même endroit. Elle avait d'abord cru se trouver dans un courant d'air ; il y avait justement devant elle une maison écroulée qui permettait au vent de s'engouffrer dans la rue. Mais la sensation qu'elle éprouvait, aussi familière qu'elle fût, n'était pas celle d'un courant d'air. Elle l'avait souvent connue au cours des ans, à chaque fois dans une situation bien particulière.

— Que se passe-t-il ? demanda Sénid.

— Le Pentacle, souffla Twilop.

Le Viking ouvrit de grands yeux.

— Dans cette ruine ?

— La sensation est trop faible, objecta Twilop. Il doit se trouver plus loin, dans une rue parallèle à celle-ci.

— Contournons le pâté, décida le Viking.

Ils partirent d'un pas pressé. La sensation disparut de nouveau, pour refaire son apparition quand ils tournèrent dans une ruelle. Ils arrivèrent dans une autre rue et repartirent vers le sud. Cette fois, le chatouillement se fit beaucoup plus fort. Il s'amplifia le temps de parcourir quelques pas avant de s'estomper peu à peu. Twilop fit demi-tour et s'arrêta à l'endroit où l'impression paraissait la plus forte. Ses yeux fixaient tour à tour trois édifices qui lui faisaient face. Restait à savoir dans lequel se trouvait le morceau.

Elle se dirigeait vers le bâtiment de droite lorsqu'elle sentit une main sur son épaule.

— Regarde le nom de cette auberge, lança Sénid en désignant l'immeuble de gauche.

Twilop examina les lettres rivées à la façade. Des siècles d'intempéries les avaient quelque peu abîmées et deux d'entre elles manquaient. L'ensemble restait pourtant lisible. L'hermaphroïde déchiffra les mots, écrits en viking d'autrefois, mais aussi en ancien. Elle réalisa la méprise qui les induisait en erreur depuis leur arrivée au château.

Elle rit.

— *Au Trésor royal*, lut-elle à haute voix. L'auberge se nomme *Au Trésor royal*.

Sans attendre, elle se rua vers l'établissement. La porte ne résista pas au coup d'épaule du Viking. À l'intérieur, malgré la pénombre, Twilop vit les tables et les chaises entassées dans un coin. Elle les ignora et se précipita dans une première pièce. La sensation se faisait de plus en plus vive. Le morceau de Pentacle se trouvait tout près de là. Très près.

Une découverte macabre les attendait dans la troisième pièce visitée. Alors qu'ils n'avaient détecté aucune trace de présence humaine dans la cité, Twilop se retrouva devant un corps allongé au centre de la pièce. La poussière qui le recouvrait prouvait qu'il était là depuis des siècles. Pourtant, il paraissait intact, hormis une jambe, pliée en un angle bizarre. Le froid avait dû le préserver de la décomposition. L'hermaphroïde devinait l'identité du défunt.

— Il doit s'agir de l'envoyé de Pakir-Skal, suggéra Sénid, rejoignant sans le savoir la pensée de Twilop. Il a dû se briser la jambe et ramper jusqu'ici après l'envoi du pigeon.

Remise du choc, Twilop s'approcha du corps. Elle hésita un instant, puis commença à le fouiller. Sénid dut comprendre ses intentions, car il vint soutenir le corps

CHAPITRE TREIZE

Aleel plissa le sourcil. Aussitôt, le phénomène de concentration de l'image propre à son espèce entra en jeu. Les points à peine identifiables qui grouillaient dans le campement installé devant les portes de Nordique devinrent des silhouettes humaines. Il ne fallut que quelques instants à la cyclope pour identifier ces humains. Le sinistre uniforme bleu nuit était connu dans le monde entier. Aleel ne pouvait distinguer les signes sur les uniformes. Il n'y avait pourtant aucun doute : il s'agissait de soldats du Pentacle.

— Alors ? demanda Nolate, un faible espoir se devinant dans le timbre de sa voix.

Aleel se tourna vers le centaure. Il lui en coûtait de devoir entamer la motivation de ses amis.

— Ce sont bien eux, confirma-t-elle.

Un silence pesant accueillit la confirmation. Chacun savait aussi bien qu'Aleel que la présence de ces soldats dans la région compromettait la poursuite de leur mission. Cette troupe cantonnée devant les portes de la ville leur bloquait le passage vers Thorhammer. Et, même s'ils trouvaient un moyen de passer, les soldats risquaient de les retrouver à tout moment, jusque dans la capitale viking. La cyclope imaginait déjà les efforts qu'ils auraient à fournir pour rencontrer les membres de l'althig sans que Lama-Thiva apprenne leur présence dans le Nord.

— Ça ne pouvait pas continuer à aller si bien, soupira Twilop.

Aleel soupira également en songeant au retour d'Hypérion. Le temps n'avait pas été au beau fixe comme à l'aller mais, depuis que le morceau de Pentacle était en leur possession, quelques nuages et un peu de neige auraient difficilement pu entamer leur bonne humeur. Même la tempête qu'ils avaient affrontée dès la sortie de la cité perdue ne les avait pas affectés. Après moins d'une heure de marche, ils avaient retrouvé le fortin dans lequel ils avaient profité des sources chaudes à l'aller. La tempête ne s'était calmée que le lendemain, trop tard dans la journée pour qu'ils osent reprendre la route.

La cyclope se rappela avec délectation cette halte forcée. Certes, ils avaient perdu un jour sur le chemin du retour, mais chacun avait bénéficié d'un repos plus que bienvenu. Les sources chaudes avaient permis à chacun de se laver et de relaxer. Ils avaient quitté le fortin avec un brin de regrets, mais requinqués comme jamais pour poursuivre l'aventure.

La présence de cette troupe les ramenait à la dure réalité.

— C'était trop beau pour durer, confirma Nolate. Il aurait été surprenant qu'on nous laisse éternellement tranquilles.

— On pourra se cacher, suggéra Elbare. À partir d'ici, il y a des forêts qui pourraient nous dissimuler. Au pire, nous pourrions retourner vers le lac Iceberg et descendre le long de l'Égral. Cette région est inhabitée, après tout.

— Cela nous conduirait à la nouvelle route du Nord, rappela Sénid. Il faudrait alors traverser une région densément peuplée vers Thorhammer et nous dissimuler serait plus difficile encore. La forêt me semble cependant envisageable.

— Nous n'avons effectivement pas le choix, lança le centaure. Nous nous déplacerons plus lentement et difficilement, sans compter qu'ils vont sûrement fouiller les bois à notre recherche.

— Pourquoi ?

Tous se tournèrent vers Aleel. Ils regardaient la cyclope comme si elle avait soudain perdu la raison. Elle comprenait leur étonnement. Bien sûr, elle ne négligeait pas le danger que constituait la présence de ces soldats. Seulement, Aleel avait noté un défaut de base dans le raisonnement de ses amis.

— Ne sommes-nous pas en train de noircir exagérément la situation ? questionna-t-elle. Ce sont des troupes du Pentacle, d'accord, mais rien n'indique qu'elles sont précisément à notre recherche.

— Comment peux-tu en douter ? demanda le Viking.

— Attends un moment Sénid, intervint Nolate. Aleel soulève un point intéressant. Nous ne connaissons pas les raisons de leur présence ici. Ces troupes viennent peut-être simplement prendre leur cantonnement dans la région.

— C'est un peu gros comme coïncidence, commenta le Viking. La déesse doit savoir à présent que Twilop n'a pas rejoint Raglafart. Si ça se trouve, le soldat que nous avons vu au Grand Canal rentrait faire un rapport nous concernant.

— Il faudrait s'assurer des intentions de ces soldats, intervint l'hermaphroïde. S'ils sont déjà à notre recherche, il serait bon de le savoir.

— Je pourrais retourner en ville pour me renseigner, objecta Sénid. Cependant, il me faudrait un bon déguisement.

Nolate désapprouva d'un hochement de tête.

— C'est hors de question, dit-il. Tu nous as raconté comment le marchand d'armes avait deviné que tu arrivais de Capitalia. De plus, tu as acheté un arc de forte puissance, une arme idéale pour un centaure. S'ils nous recherchent, les soldats ont sûrement posé des questions un peu partout dans la ville. L'armurier aura parlé de ta visite et de ton achat et les soldats feront le lien.

— S'ils te démasquent, ajouta Aleel, c'en sera fini de nos espoirs. La déesse concentrera ses troupes dans la région et ils nous traqueront jusqu'au dernier.

— J'irai.

Aleel se tourna vers le versev, qui se tenait à sa gauche. Elbare les regardait tour à tour, un peu gêné de son intervention. La cyclope devait admettre que l'être végétal avait du cran, même s'il proposait quelque chose d'irréaliste. Personne à Nordique ne devait avoir déjà rencontré un versev. La cyclope aurait même parié que plusieurs ignoraient jusqu'à leur existence.

— Jamais tu ne passerais pour un humain, protesta Sénid.

— Je pensais plutôt espionner le camp de ces soldats, dit Elbare. Avec mon réflexe de camouflage, je pourrai approcher suffisamment et écouter les conversations sans être repéré.

Elbare expliqua comment il comptait procéder. Il profiterait de la courte nuit - ils étaient assez loin au sud d'Hypérion pour qu'elle dure deux heures – pour s'installer aussi près que possible du campement. Avec un peu de chance, les soldats parleraient de leur mission et il apprendrait les raisons de leur présence au Nord.

Personne ne trouva à redire devant la suggestion du versev.

— Je crois que nous n'avons pas de meilleure solution, conclut finalement le centaure.

Elbare parut presque déçu que son idée soit approuvée.

✪ ✪ ✪

Ils attendirent la fin de l'après-midi pour s'engager sur le sentier sinueux menant de la crête à la plaine. À cette heure de la journée, le soleil descendait au nord-ouest, derrière les montagnes. À cause des ombres immenses, il devenait plus difficile de repérer les pièges du sentier. En revanche, un éventuel observateur posté dans la plaine, un soldat par exemple, aurait eu le soleil dans les yeux. La descente du groupe passa donc inaperçue. Les représentants des quatre espèces animales se cachèrent derrière les rochers qui bordaient le sentier, laissant Elbare poursuivre sa route seul.

Il ne resta à découvert que sur quelques mètres avant de rejoindre l'orée de la forêt. Même si les arbres étaient plutôt malingres en raison du climat, le versev se pressa de se mettre hors de vue sous leurs branches. Il fut soulagé de se retrouver sous le couvert végétal. Entre ces arbres, il se sentait dans son élément.

Elbare se déplaça rapidement, sans bruit comme savaient le faire les siens. Il retrouva l'orée du boisé à quelques pas du campement des soldats du Pentacle. Après avoir soigneusement mémorisé la disposition des lieux, le versev avança le long d'un ruisseau. Le mince filet d'eau longeait un petit bosquet. Il profita de la pénombre de la courte nuit nordique pour trouver deux arbres à peu près de sa taille. Il s'arrêta entre eux.

— Halte ! cria une voix inconnue. Qui va là ?

Elbare planta aussitôt ses orteils dans le sol meuble. En un instant, il se transforma en arbre. Le soldat qui l'avait aperçu dégaina son épée et avança dans sa direction. Il s'arrêta à moins de deux mètres du versev et scruta les alentours. Il paraissait perplexe, ce que la créature végétale pouvait comprendre.

— Que se passe-t-il, soldat ? demanda une autre voix.

— J'avais cru voir un intrus dans le campement, répondit l'interpellé.

— Il n'y a que des arbres, dans ce coin, commenta le sergent. C'est bon, regagnez votre poste.

Le soldat rejoignit un collègue près d'un feu de camp proche. Elbare concentra son attention sur les deux hommes. Ils se trouvaient un peu trop loin de sa position pour qu'il puisse bien les entendre, mais le versev pouvait difficilement se rapprocher davantage. Le soldat qui avait cru apercevoir quelqu'un – et qui, de fait, n'avait rien imaginé –, jetait des regards fréquents dans sa direction. Son collègue semblait s'en amuser.

— Qu'est-ce qui t'arrive, Rabak ? Tu redoutes les arbres, à présent ?

— Tu peux bien rire, rétorqua le soldat. C'est ta petite virée en ville d'hier qui nous vaut d'être de garde plutôt que de profiter du peu d'obscurité de ce pays maudit pour dormir.

— En tout cas, ça en valait la peine. Les petites Vikings sont bien jolies et moins farouches que je ne l'aurais cru.

Le silence revint un instant entre les deux hommes.

— Crois-tu que les ravisseurs de l'albinos sont passés par ici ? demanda Rabak.

— Qui sait ? répondit l'autre. L'armurier a parlé d'un Viking ayant l'accent de Capitalia. Ça pourrait correspondre au déserteur. Il n'a pas vu les autres, mais un centaure, une cyclope et un versev ne passent pas inaperçus. S'ils sont dans le Nord, nous les trouverons.

Elbare frémit. S'il avait été sous sa forme bipède, il aurait sans doute pâli en entendant les commentaires du soldat. En une seule phrase, le militaire avait confirmé leur pire crainte et justifié sa mission d'espionnage. Le versev songea qu'il pouvait rentrer, à présent. Dès que les soldats regarderaient ailleurs, il se déracinerait et s'éloignerait du camp. Le soleil se lèverait dans une vingtaine de minutes, ce qui lui laissait peu de temps.

Il hésita. Le soldat avait parlé d'un déserteur viking. Il faisait sûrement référence à Sénid. Elbare savait que son ami humain avait en fait donné sa démission en bonne et due forme. Qui sait ce qu'il pourrait apprendre d'autre s'il attendait encore un peu ? En vingt minutes, il pouvait en savoir plus sur la mission de cette troupe.

— Selon toi, qui est cette albinos ? questionna Rabak.

— Je préfère l'ignorer. Crois-moi, si Lama-Thiva veut retrouver cette femme, je ne voudrais pas être à sa place. Tu connais sa réputation.

— Rabak ! Vaamor !

Les deux hommes se dressèrent d'un bond et se mirent au garde-à-vous.

— Qu'est-ce que c'est que ces gardes qui papotent comme des pies au point de se laisser surprendre lorsqu'ils sont de faction ? cria l'officier. Puisque vous n'êtes bons à rien d'autre, allez couper du bois pour les feux de camp !

Pendant que deux autres soldats prenaient la relève, les fautifs récupérèrent des haches et marchèrent vers le bosquet. Elbare commença à se sentir nerveux en les voyant venir dans sa direction. Ses pires craintes se confirmèrent quand ils s'arrêtèrent juste devant lui. Le soldat dont Elbare ignorait le nom le pointa du doigt. Sans un mot, Rabak leva sa hache.

Elbare tressaillit, anticipant la douleur du premier coup de hache. Il savait fort bien que le choc de l'acier contre son corps ferait jouer ses réflexes. Pour échapper à une attaque, un versev devenait bipède et pouvait se mettre à courir. Cette aptitude servait fort bien les êtres végétaux pensants lors d'un incendie de forêt, par exemple, mais ne servirait à rien contre un ennemi capable de réagir à sa présence.

Les soldats seraient surpris de voir un arbre se transformer, car peu connaissaient cette aptitude des versevs. Cependant, ils sauraient immédiatement à qui ils avaient affaire. Elbare serait arrêté, puis interrogé. Sous la torture, il dévoilerait les buts de leur mission et c'en serait fini des peuples du Monde connu. Il se maudit d'avoir décidé de faire du zèle.

— Pas celui-là, idiots ! lança une nouvelle voix. Il est trop vert.

Les soldats se redressèrent, de nouveau au garde-à-vous. Il n'y avait pourtant aucun officier en vue. En militaires entraînés à obéir, Rabak et son collègue passèrent à l'arbre voisin. Le versev frissonna quand, dans sa chute, les branches du conifère frottèrent contre sa peau. Les soldats l'ébranchèrent, traînèrent le tronc près du feu et entreprirent d'en faire des bûches. Elbare savait qu'il devait profiter de ce relâchement de leur attention pour s'enfuir.

La terreur le maintenait paralysé sous sa forme végétale.

— Elbare, souffla la même voix, tout juste derrière lui. Dépêche-toi de redevenir bipède. Nous n'aurons pas d'autres chances de fuir.

La voix de Sénid, car c'était lui, le calma juste ce qu'il fallait pour qu'il parvienne à délaisser sa forme végétale. Profitant de ce que les soldats étaient occupés, il suivit le Viking, trop heureux de son intervention providentielle pour se questionner sur les raisons de sa présence. Sénid lui avait sauvé la vie, cela lui suffisait.

Ils gagnèrent le boisé alors que le soleil lançait ses premiers rayons sur la plaine. Elbare laissa Sénid les guider, même si les versevs étaient plus habiles lorsqu'il s'agissait de se déplacer furtivement. Pour le moment, il se ressentait encore trop de cette mort à laquelle il avait échappé de justesse. Elbare tremblait tellement qu'il en éprouvait certaines difficultés à enjamber les irrégularités du sol. Heureusement, personne de son peuple ne le voyait dans un état pareil.

Ils restaient cachés dans les premiers mètres du sentier menant à la crête, derrière les rochers qui formaient un garde-fou. Épée à la main, Nolate se tenait prêt à combattre si nécessaire, même si leur tactique consistait encore à se dissimuler pour garder le secret sur leur présence dans la région. Il ne bougerait donc pas à moins qu'un ennemi ne découvre leur présence. Un peu plus haut, sur le sentier, Aleel inspectait les environs. Elle surveillait l'arrivée possible de soldats du Pentacle, mais elle espérait une tout autre irruption.

La cyclope pointa du doigt les premiers arbres et leva ensuite le pouce vers le ciel. Nolate accueillit le signal avec soulagement, sans toutefois relâcher sa vigilance. Quelques secondes plus tard, Sénid surgissait d'entre les arbres, suivi d'un Elbare à l'écorce d'un vert pâle, à l'air hagard, qui marchait en titubant. Il semblait se remettre d'une très forte émotion.

Les cinq amis se regroupèrent près de la position de surveillance de la cyclope.

— Elbare ? Est-ce que ça va ?

Le ton de Twilop exprimait leur inquiétude commune. Elle lui tendit sa gourde, qu'il attrapa d'une main tremblante. En quelques mots, Sénid leur expliqua comment il l'avait trouvé en arrivant près du camp, à l'orée des premiers arbres. Planté entre deux sapins, le versev était sur le point de goûter à la hache de deux soldats de corvée de bois. Le Viking avait pris le risque de leur lancer un ordre, d'un ton qui laissait croire qu'il était officier. Il avait pu sortir Elbare de ce mauvais pas et le ramener.

Nolate aurait voulu lui reprocher le risque énorme qu'il avait pris. Il aurait suffi qu'un seul des soldats hésite avant d'obéir et cherche son supérieur du regard pour comprendre que quelque chose clochait. Pourtant, par son audace insensée, il avait sauvé Elbare d'une mort certaine. Même s'il connaissait peu l'anatomie des versevs, il devinait les effets dévastateurs d'un coup de hache sur leur ami végétal.

— C'est bien ce que nous craignions, annonça le versev d'une voix mal assurée. Ces soldats sont à notre recherche.

Il prit une nouvelle gorgée à la gourde en renversant un peu d'eau. Il recouvrait son calme avec difficulté. D'une voix chevrotante, il résuma la conversation des soldats. Nolate lui posa une ou deux questions auxquelles le versev répondit de son mieux, puis il lui suggéra de se reposer un peu. Elbare se remémorerait peut-être plus de détails de la discussion une fois remis de ses émotions. En attendant, ils avaient à planifier la suite de leur mission.

— Nous sommes coincés ici, résuma Nolate. Avec ces troupes à notre recherche, il nous sera pratiquement impossible de nous déplacer.

— Il faut pourtant gagner Thorhammer ! s'écria Twilop. Peut-être pourrions-nous nous déguiser ?

— Hélas, soupira le centaure, cela marcherait pour Elbare et toi. Si un bon maquillage pourrait vous faire passer pour des humains, il en va tout autrement d'Aleel et moi. Aleel resterait une cyclope et moi, un centaure…

— En fait, intervint Sénid, Aleel ne se ferait pas remarquer autant qu'on pourrait le croire. Plusieurs cyclopes vivent dans le Nord et les mariages mixtes sont courants. J'ai un ami à Dragonberg qui a une fiancée du peuple des cyclopes.

— Je reste toujours un obstacle à cette idée, souligna maître Nolate.

— Si seulement il y avait une autre destination ! dit Elbare. Nous pourrions parler aux Vikings qui habitent une autre ville et tout arranger à l'insu des soldats du Pentacle.

Tous les regards se tournèrent vers le versev. Leur ami avait repris un teint d'un vert un peu plus foncé, signe qu'il surmontait son épreuve. Nolate était heureux de constater qu'il récupérait aussi vite de sa mésaventure. Son intervention signifiait peut-être qu'il se remémorait de nouveaux détails de la conversation des soldats.

Ce fut Aleel qui commenta en premier la suggestion d'Elbare.

— Malheureusement, Thorhammer est la seule destination possible.

— Il y en a une autre, dit Sénid. Nous pourrions aller à Dragonberg. Elle se situe à une semaine de marche à l'est. Nous y trouverions même un avantage, car il s'agit de ma ville natale. J'y ai beaucoup d'amis qui pourraient nous cacher.

Sénid paraissait s'enthousiasmer au fur et à mesure qu'il vantait les avantages de faire un détour par sa communauté d'origine. Selon ses dires, Dragonberg était relativement isolée au creux d'un fjord. Comme elle se trouvait assez loin des autres centres de peuplement du Nord, peu de patrouilles du Pentacle s'y rendaient. La communauté avait davantage échappé à l'influence de la déesse que le reste du Monde connu.

— Ils seraient plus faciles à persuader ? demanda Nolate.

— J'en suis convaincu.

— Ça ne marchera pas, Sénid.

Le Viking se tourna vers Aleel.

— Les patrouilles du Pentacle sillonnent la région, reprit la cyclope. Que nous tentions de rejoindre Thorhammer ou Dragonberg, nous les aurons malgré tout contre nous.

— Elle a raison, se désola Nolate. À moins de trouver une route à laquelle ils ne penseront pas.

En disant cela, le centaure était persuadé d'avance que cette solution ne leur plairait pas. Tout d'abord, ils le regardèrent sans comprendre, tandis qu'il leur désignait le sentier menant au sommet des montagnes. Ils ne pouvaient croire qu'il leur suggérait de retourner à Hypérion. Mais Nolate avait une tout autre idée. Sénid écarquilla les yeux, ayant compris le premier ce que proposait son mentor.

— Vous n'êtes pas sérieux ! s'écria-t-il. Vous voulez rejoindre Dragonberg en passant par le Grand Glacier ?

Nolate était sérieux. Il leur vanta les avantages de cette route à laquelle l'ennemi ne penserait probablement pas. Ils avaient les fourrures des yétis pour se tenir chaud. Il leur demanda de vérifier le contenu de leurs paquetages pour évaluer ce qu'il leur restait comme nourriture. Sénid se montra pessimiste lorsqu'il réalisa qu'ils ne pourraient s'alimenter plus de quatre jours sur leurs réserves. Sur le Grand Glacier, il n'y aurait rien à chasser. Il fallait donc renouveler les provisions. Et pour cela, un seul endroit possible, que le centaure désigna au Viking : Nordique.

— Vous me demandez de retourner à Nordique même si un marchand a deviné que j'arrivais de Capitalia ?

— Tu serais vite capturé, rétorqua Nolate en hochant la tête pour signifier qu'il avait autre chose en tête. Tu devras plutôt entrer sans te faire repérer.

Sénid resta bouche bée un moment, abasourdi par l'audace de son mentor. Après tout, c'était d'un cambriolage dont il était question. Mais le risque valait d'être couru, puisque le manque de nourriture était le seul obstacle qui les empêchait de contourner les patrouilles ennemies via le chemin des glaces. Quand le Viking se mit à sourire, Nolate sut qu'il l'avait convaincu.

— J'irai en ville réquisitionner discrètement le nécessaire, fit-il.

CHAPITRE QUATORZE

Sénid aurait préféré une nuit de pleine lune à la pénombre qui avait envahi les rues de Nordique. Ainsi, il aurait au moins pu se cacher dans l'ombre des bâtiments. Le soleil avait plongé sous l'horizon une heure plus tôt environ et déjà les lueurs du crépuscule se mêlaient à celles de l'aube qui s'annonçait. Nordique se trouvait assez au sud pour échapper au phénomène du soleil de minuit. Pourtant, en cette période de l'année, la nuit n'était jamais complète, même en l'absence de lune. Cela lui laissait peu de temps pour agir.

Le Viking trouva un interstice dans la palissade en bois, à un endroit où elle remplaçait les vestiges des fortifications en pierre érigées autrefois. Il n'eut donc aucun mal à s'introduire dans la ville. Se remémorant sa visite de la semaine précédente, il se dirigea en catimini vers le marché. L'alignement de bâtiments en bois et en pierre surmontés de toits en tourbe paraissait désert. Sénid redoubla néanmoins de prudence alors qu'il marchait vers une boulangerie.

Aucune vigile en vue.

Il aperçut une porte latérale et la testa doucement. Elle n'était verrouillée que par un crochet qu'il fit sauter sans peine. Après un dernier coup d'œil dans la rue, le Viking entra et referma la porte derrière lui sans engager la clenche. Il tenait à pouvoir fuir rapidement si le boulanger le surprenait. Lorsque son regard fut suffisamment adapté à l'obscurité, il repéra des provisions qui pourraient leur être utiles. Il prit quelques pains et les enfourna dans son sac rapidement, après quoi il quitta la boulangerie en silence. Mieux valait rester aussi peu de temps que possible à chaque endroit visité.

Quelques bâtiments plus loin, Sénid s'intéressa à une boucherie. Il passa derrière l'étal pour rejoindre la réserve. Il tomba à nouveau sur un crochet, d'ailleurs mal fixé, et entra plus facilement encore que dans la boulangerie. Le Viking trouva de la viande séchée, prête à emporter. Il gonfla encore un peu son sac. Estimant que les vivres recueillis prolongeraient leur autonomie d'une semaine, il jugea le moment venu de rentrer.

Il se retrouva une nouvelle fois seul dans les rues de Nordique. Sénid n'avait vu aucune vigile, mais il y en avait sûrement quelques-unes, pas tant pour arrêter les voleurs que pour alerter la population en cas d'irruption d'une bête sauvage. Un loup ou un ours affamé pouvait trouver tentant de chercher sa pitance dans une communauté bien nantie. Le Vicking se refusait à commettre l'imprudence fréquente du soldat qui, en rentrant d'une mission, relâche sa vigilance. Il redoubla de prudence en retournant vers la palissade.

En passant devant la boutique du forgeron, Sénid eut l'idée d'une ultime visite.

Cette fois, il se heurta à une porte correctement verrouillée. Il craignit même qu'elle ne fût barrée, mais il parvint finalement à l'ouvrir. Le Viking ne s'intéressa pas aux armes entreposées là ; c'était une toute autre sorte de matériel, qu'il cherchait. Un forgeron ne fabriquait pas que des armes ou des socs pour les charrues, il réparait aussi des attelages. Pour rendre ce service, il avait forcément une réserve de cuir… et de la corde. Cela leur servirait sur le Grand Glacier.

Sénid dénicha une corde assez mince, mais résistance. Elle conviendrait parfaitement à l'usage auquel il la destinait. Sur le Grand Glacier, ils devraient franchir des ponts de neige au dessus des crevasses. Son expérience disait au Viking que, s'ils s'encordaient, ils pourraient retenir le malchanceux qui s'enfoncerait dans la neige.

Il passa le rouleau de corde sur son l'épaule et quitta la forge. Il se pressa vers la palissade, conscient du temps écoulé. La lumière ambiante semblait plus vive et le ciel était plus pâle au nord-est. Il avança en rasant les murs, jusqu'à apercevoir le mur d'enceinte et à repérer le trou qui lui avait permis d'entrer, entre les pieux en bois et le mur en pierre de l'ancienne fortification. Pour le rejoindre, il devait traverser un espace dégagé, puisqu'aucun bâtiment n'était accolé à la palissade. Un ultime regard à gauche et à droite ne montra aucun danger apparent. Vite, il devait s'élancer.

— Halte !

Le Viking se trouvait à mi-chemin de la palissade, trop loin pour fuir. Sa formation de soldat lui permettait heureusement de savoir exactement comment réagir. Il se retourna lentement pour évaluer la situation. Ne découvrant qu'une seule vigile – une femme très jeune, presque une adolescente – , Sénid se calma. Il garda la tête basse et les épaules voûtées, feignant l'accablement. En s'efforçant de paraître inoffensif, il mettait son adversaire en confiance. Il s'agissait d'éviter qu'elle appelle des renforts.

La femme tomba dans le piège.

— Qu'est-ce que nous avons là ? demanda-t-elle en approchant, épée à la main. Un profiteur, assurément. Je suppose que tu comptais revendre le fruit de tes rapines aux troupes du Pentacle… Comme si nous n'avions pas déjà assez de les voir piocher dans nos réserves. Allez, pose-moi ça par terre ! Ton arme d'abord.

En évitant d'éveiller la méfiance de la femme par un geste trop vif, Sénid retira son épée du fourreau et la posa sur le sol. Le sac contenant les vivres et le rouleau de corde suivirent. En se montrant docile, il renforçait le sentiment de sécurité de la vigile qui croyait avoir affaire à un simple cambrioleur. En réalité, il se débarrassait de ce qui entraverait ses mouvements lorsqu'il passerait à l'attaque. Il devait non seulement combattre cette gardienne, mais agir vite pour l'empêcher de crier et d'appeler des renforts.

Il se désolait de devoir tuer cette toute jeune femme qui ne faisait que son travail. Mais il était primordial de garder secrète leur présence dans le Nord. La vigile lui demanda de reculer et se pencha pour examiner le contenu du sac. Elle ne quitta son prisonnier de vue qu'une fraction de seconde, mais le Viking en profita immédiatement pour passer à l'action.

Il se jeta de tout son poids sur elle. La femme réagit promptement et parvint à dégainer son épée, mais Sénid la lui fit sauter de la main d'un coup de pied avant qu'elle ait eu le temps d'affermir sa prise. Contre un adversaire moins entraîné, elle aurait peut-être eu une chance. Sénid récupéra l'arme et passa derrière la femme à qui il enfonça le genou dans le dos pour l'empêcher de bouger. Du même élan, il lui glissa la lame sous le menton. Il n'avait plus qu'à tirer un coup sec pour lui trancher la gorge.

Sénid hésitait. La femme tourna lentement la tête et chercha à croiser son regard. La terreur d'une enfant se lisait dans ses yeux. Sénid se répéta qu'il devait l'éliminer pour ne laisser aucun témoin de son passage. Il lui fallait poser le geste qui ferait de lui un tueur. Pourtant, c'était une compatriote, une Viking comme lui. Elle n'était pas leur ennemie... et elle était si jeune !

D'un geste brusque, il la repoussa et, sans lui laisser le temps de réagir, il la frappa à la tête du pommeau de l'épée. Elle s'affaissa, assommée.

Sénid récupéra ses affaires sans attendre. Mais son mouvement de compassion l'obligeait à se charger d'un fardeau supplémentaire. Il attrapa la femme sous les aisselles et la tira jusqu'à la palissade. Il la traîna à travers l'ouverture et la déposa au pied d'un arbre à quelques mètres de l'orée de la forêt. De par son expérience de soldat, il était en mesure d'évaluer qu'elle ne garderait aucune séquelle de sa mésaventure. Il l'adossa à un tronc et la ligota. Dès qu'elle se réveillerait, elle chercherait à se libérer pour retourner à Nordique. Des recherches seraient entreprises dans les environs et on n'aurait aucun peine à la retrouver.

Sénid repartit, conscient du risque qu'il venait de prendre et fortement préoccupé. Malgré tout, il refusait de faire demi-tour pour tuer la jeune femme. De toute façon, personne ne songerait à les poursuivre sur le Grand Glacier.

★ ★ ★

Le soleil pointait au-dessus de l'horizon lorsque le groupe franchit les derniers mètres du sentier pour retrouver la route de la Crête menant à Hypérion, bordée par l'immense désert blanc. Twilop évita soigneusement de regarder dans la direction de l'astre du jour, sachant combien sa lumière, amplifiée par les reflets sur la neige et la glace, pourrait l'éblouir. Elle regarda plutôt en arrière, vers le sentier qu'ils venaient de gravir pour la seconde fois.

— Qu'est-ce que c'est ?

À la base du sentier, à l'endroit même où ils avaient attendu Sénid, quelques silhouettes venaient de sortir des bois. Aleel rejoignit l'hermaphroïde au bord du précipice et mit une main en visière sur son front pour protéger son œil du soleil. Il restait à attendre que la cyclope identifie les silhouettes. Twilop avait le pressentiment qu'ils n'auraient pas une très grande surprise.

— Une patrouille du Pentacle, confirma Aleel. Je compte huit soldats.

Les militaires avancèrent jusqu'au début du sentier, mais aucun d'eux ne fit mine de s'y engager. Ils se contentaient d'explorer les environs ; sans doute cherchaient-ils des traces de leur passage. Lorsqu'ils revinrent au sentier. Twilop supposa qu'ils avaient retrouvé leurs traces. Même si Elbare et Sénid s'étaient efforcés de les effacer toutes, un bon pisteur ne pouvait être dupe de ces ruses bien longtemps. Allaient-ils entreprendre l'ascension ? Les hommes déposèrent plutôt leur sac et en sortirent quelques provisions. Pour eux, c'était l'heure du repas.

Était-ce une coïncidence, qu'ils aient choisi cet endroit pour bivouaquer ? Twilop ne pouvait s'empêcher de se demander s'ils n'avaient pas plutôt inspecté le secteur à la suite de l'intrusion de Sénid à Nordique. La vigile que le Viking avait assommée avait pu fournir son signalement. D'après leur ami, elle l'avait pris pour un simple voleur, mais les soldats du Pentacle étaient certainement tenus de suivre toutes les pistes.

— En voilà d'autres, lança la cyclope, toujours à son poste.

En bas, les soldats s'étaient levés et brandissaient leur épée. Ils baissèrent la garde en constatant que les nouveaux arrivants formaient une seconde patrouille, comme Aleel l'avait déjà constaté. Les deux groupes se rejoignirent et échangèrent salutations et poignées de main. Ils discutèrent un bon moment, tout en poursuivant leur repas. Twilop crut défaillir lorsqu'elle remarqua qu'une silhouette tendait le bras pour désigner le sentier.

Aleel continuait d'observer les soldats et de décrire leurs faits et gestes. Ils se contentaient pour le moment de manger et de discuter. Deux d'entre eux se levèrent et prirent un objet cubique dans leurs affaires. La cyclope expliqua qu'il s'agissait d'une cage, car un officier en sortit quelque chose qui bougeait. Un oiseau. Twilop eut un mauvais pressentiment.

— Décris-le-moi, s'il te plaît.

La cyclope délaissa sa surveillance quelques instants et se tourna vers son amie, étonnée. Les autres paraissaient également surpris de son intervention. Plus que sa requête, ils avaient remarqué le ton de découragement qui altérait sa voix. Aleel reprit son observation, alors que Twilop attendait en espérant vivement se tromper.

— Il est gris. Son corps est assez petit pour tenir dans la main… Tiens ? Il vient d'étendre ses ailes. Elles sont étonnamment grandes pour un oiseau de cette taille.

— Ont-elles des griffes à chaque extrémité ?

— C'est un peu loin pour que je le sache avec exactitude, s'excusa-t-elle. Attends… Oui, il me semble discerner des griffes au bout des ailes.

C'était ce que Twilop redoutait.

— Ils ont des pigeons messagers, commenta-t-elle.

— Des pigeons voyageurs ? s'informa Sénid. Comme ceux que ton maître, Pakir, a confiés aux porteurs des morceaux du Pentacle pour qu'ils confirment l'accomplissement de leur mission ? Je croyais l'espèce éteinte.

— Elle l'est, certifia Twilop. Mais, ce que ces soldats utilisent, ce sont des pigeons messagers, une création de

Lama. Ce sont des créatures infatigables qui savent se défendre contre tous les prédateurs.

— Je ne vois toujours pas ce qui te tracasse, rétorqua le Viking.

— Ils sont assez peu nombreux, expliqua l'hermaphroïde. Les soldats ne s'en serviront que pour envoyer un message important à la déesse. La présence d'un groupe indésirable dans le Nord, par exemple…

Twilop laissa le reste de sa phrase en suspens, mais ses amis comprirent parfaitement la nature du danger. Ils regardèrent l'oiseau prendre son envol et faire des cercles au-dessus du camp. Le volatile se dirigea vers la montagne, sans doute pour profiter de l'effet du vent contre la paroi rocheuse pour grimper plus haut. Ce faisant, il s'approcha de leur position.

— Voilà notre chance ! s'exclama l'hermaphroïde. Il faut l'abattre !

Nolate réagit aussitôt. Il sortit son arc et mit la corde en place d'un geste aussi rapide que précis. Sa main saisit une flèche et l'encocha du même élan. Le centaure se tourna vers la cible qui volait toujours près d'eux. Il pointa l'arc, attendant le dernier moment pour le tendre. Twilop était anxieuse de voir un expert de cette arme à l'œuvre. Mais il se ravisa et rabaissa son arc.

— Maître ! s'écria Sénid. Tirez ! Seul un centaure peut réussir un coup pareil.

— Justement, je préfère laisser la déesse dans le doute qu'avec une quasi-certitude.

— Que voulez-vous dire ? demanda Elbare.

— Les troupes du Pentacle n'ont que des doutes quant à notre présence dans le Nord. En abattant ce pigeon, je confirmerais leurs soupçons ; eux aussi en déduiraient que seul un centaure peut réussir un tir aussi précis. Ils enverraient aussitôt un autre pigeon avec la confirmation et la déesse concentrerait ses recherches en territoire viking.

Personne ne trouva à redire à ce raisonnement frappé au sceau du bon sens. Twilop leva les yeux vers le ciel pour jeter un dernier regard à l'oiseau qui, après avoir décrit un ultime cercle, orienta son vol vers le sud. Même Aleel le perdit de vue rapidement. Nolate rangea son arc, laissant le volatile retourner chez sa maîtresse avec un message au contenu marqué par le doute. Ce doute pèserait sur la suite de leur mission, mais le centaure était certain d'avoir eu raison d'épargner l'oiseau. Lama-Thiva aussi devrait prendre ses prochaines décisions avec cette incertitude en tête.

Elbare était celui qui avait le plus souffert de leurs aventures dans la neige et le froid. Il avait récupéré complètement des engelures encourues dans les monts Yétis et avait supporté sans trop de difficulté le voyage vers Hypérion. Il est vrai que, lors de leur voyage vers la ville, ils avaient marché surtout sur le roc qui constituait l'essentiel de la crête. De plus, les fourrures de yack lui permettaient de garder la chaleur corporelle qu'indui-saient ses mouvements. Il en aurait bien besoin dans les jours à venir.

Alors qu'ils avançaient sur la plaine gelée, un vent glacial poussait des cristaux de neige sur leur visage. Le versev subissait la morsure de cet air vivifiant, qui glaçait l'écorce de sa figure. Un soleil blafard éclairait le Grand Glacier sans presque leur procurer de tiédeur. Elbare avait doublé l'épaisseur de fourrure dans ses bottes, mais ses orteils racines ressentaient tout de même le froid. Et Sénid lui avait demandé de ne pas taper du pied pour se réchauffer.

— À certains endroits, avait expliqué le Viking, cette neige n'est qu'une croûte durcie qui cache des crevasses. Des coups répétés pourraient la faire céder.

— Même quand nous ne sommes pas au-dessus d'une de ces crevasses ?

— Les vibrations peuvent faire tomber un pont de neige sur notre route. Il nous faudrait revenir en arrière pour trouver un nouveau passage. Je suis persuadé que tu ne souhaites pas plus que nous prolonger notre séjour dans cet enfer glacé.

Elbare n'avait pas pris la peine de répondre et d'énoncer une évidence.

Un tiraillement au niveau de la taille lui rappela de marcher un peu plus vite. Il rajusta la corde passée sous ses aisselles en lançant un regard d'excuse à Nolate, juste devant lui. Le centaure suivait Sénid, qui ouvrait la marche. Le Viking avançait parfois d'un pas assuré, mais en d'autres occasions il s'arrêtait et plantait dans la neige le bâton qu'il avait apporté. Le plus souvent, il reprenait simplement la progression après un moment. D'autres fois, au contraire, il les faisait changer de direction, après avoir repéré une crevasse qu'il fallait contourner.

L'idée de marcher sur une surface qui menaçait de s'écrouler ne plaisait à personne. Elbare toucha encore une fois la corde, dont la présence rassurante apaisait un peu ses craintes. Ils étaient attachés les uns aux autres. Sénid affirmait que les crevasses faisaient jusqu'à trente mètres de profondeur. Elbare n'avait aucun désir de vérifier l'exactitude de cette mesure…

Sénid s'était arrêté de nouveau pour inspecter le sol.

— Sont-ils encore loin ? demanda Nolate.

Aleel qui fermait la marche surveillait leurs arrières. Elle s'était offerte à passer en dernier pour vérifier si quelqu'un les suivait. Puisque sa vision particulière ne servait à rien pour inspecter la neige et repérer les crevasses, aussi bien l'utiliser à quelque chose d'utile. Elle n'avait d'abord rien remarqué, mais dès le deuxième jour…

— Ils ne sont plus qu'à un kilomètre. Difficile d'être plus précise sans point de repère.

Elle se retourna, un air consterné sur le visage.

— Et je confirme qu'il s'agit de soldats du Pentacle.

Au début, alors qu'ils se trouvaient à une dizaine de kilomètres, Aleel n'avait pu certifier s'il s'agissait de soldats ennemis, de vigiles de Nordique ou de gens n'ayant rien à voir avec eux. Ils avaient aussitôt envisagé le pire, car ils ne voyaient pas quelles raisons auraient incité de simples citadins à grimper sur le Grand Glacier. De plus, les inconnus les suivaient. Il fallait qu'on les ait vus ou, plus probablement, qu'un officier un peu zélé ait envoyé une patrouille vérifier si les fugitifs avaient pu prendre ce chemin.

— Ils vont plus vite que nous, commenta Twilop. Peut-être connaissent-ils une route dépourvue de crevasses.

— Je pense plutôt qu'ils suivent nos traces, répliqua Aleel. Ils n'ont pas à chercher les ponts de neige. Et plus ils se rapprochent, moins le vent n'a eu le temps d'effacer nos empreintes…

Devant eux, Sénid continuait à inspecter la neige, à la recherche d'un passage. Il arriva au bout du cordage et ils firent quelques pas vers la gauche, pour permettre au Viking de pousser plus loin ses recherches.

Les soldats du Pentacle continuaient d'un pas assuré. Ils se trouvaient assez près maintenant pour avoir identifié la silhouette du centaure parmi ceux qu'ils pourchassaient. Cela ne pouvait que raffermir leur résolution de les rattraper.

Sénid fit signe à ses compagnons d'avancer et ils repartirent, cette fois dans la bonne direction. Le Viking leur fit cependant emprunter un trajet tortueux, en continuant d'enfoncer régulièrement son bâton dans la neige durcie. Au bout de quelques minutes, ils se déplaçaient de nouveau latéralement par rapport à la patrouille, qui avait encore accéléré le pas.

Elle ne se trouvait plus qu'à une cinquantaine de mètres.

— Je crois qu'il va falloir combattre, annonça Nolate.

— Impossible ! objecta Sénid. L'endroit est particulièrement dangereux.

Pour toute réponse, le centaure sortit son arc.

— Je vais au moins les tenir à distance.

Il banda l'arc et encocha une flèche. Les soldats réagirent en récupérant leur bouclier qu'ils avaient porté jusque-là sur le dos. Quatre d'entre eux les maintinrent en place devant eux. Nolate les regarda en silence un long moment, pendant que l'ennemi poursuivait résolument sa progression. Elbare comprit qu'il jugeait inutile de chercher à les abattre, car il remit la flèche dans son carquois et démonta l'arc.

Les soldats s'arrêtèrent à vingt mètres.

— Voilà une attitude raisonnable, commenta le chef de la patrouille. À présent, vous allez venir avec nous sans faire d'histoire.

Pour toute réponse, Nolate sortit son épée.

Sénid, resté étrangement passif jusque là, s'écria :

— Non ! N'avancez pas, vous risquez vos vies !

— Nous n'avons peur de rien et vous… commença le chef de la patrouille.

Il ne dit rien de plus, car soudain le sol se déroba sous leurs pieds. Dans un silence irréel, de larges blocs de neige tombèrent dans la crevasse qui devait faire partie d'un ensemble de failles, car d'autres blocs se détachaient, élargissant le gouffre.

Sénid cria quelque chose et Elbare le vit enfoncer son épée dans la glace. Soudainement, le versev se sentit violemment tiré en arrière et se retrouva sur le ventre, la corde tendue sous ses bras. Confus, il se retourna vers Twilop. L'hermaphroïde était également tombée et griffait le sol, comme pour chercher à se retenir. Le rebord du gouffre se trouvait juste derrière elle, au bout de ses pieds. Mais d'Aleel, aucune trace.

Elle était tombée dans la crevasse.

La sensation de chute ne dura qu'un instant. Aleel n'eut pas le temps de réaliser ce qui lui arrivait qu'elle sentit la corde se tendre sous ses aisselles et enserrer douloureusement sa poitrine. Elle en eut le souffle coupé. Son dos heurta une surface dure sur laquelle elle rebondit. Ébranlée, elle resta parfaitement immobile, le temps de reprendre ses esprits. Quand elle rouvrit l'œil, elle ne vit d'abord qu'une surface sombre qu'elle n'identifia qu'après plusieurs secondes : de la glace. Elle était suspendue dans le vide à moins d'un mètre d'un mur de glace.

Elle tâta la paroi, à la recherche d'une prise qui lui permettrait de se retenir et de remonter. Elle ne réussit qu'à se repousser en arrière, ce qui induisit à son corps un mouvement de balancier fort désagréable. Quelques morceaux de neige durcie se détachèrent de la paroi pour lui tomber sur la tête et les épaules. Avant d'aggraver la situation, elle jugea prudent de ne plus rien tenter.

— Aleel ? cria une voix. Est-ce que ça va ? Aleel ?

— Oui, cria-t-elle en retour.

Une douleur lui vrilla les côtes, ce qui lui fit ajouter dans un murmure :

— Enfin, je crois.

— Ne bouge pas, nous allons te sortir de là.

Aleel se retint de rire. Où Sénid croyait-il donc qu'elle pouvait aller ? Elle cessa de combattre le mouvement de balancier, ses efforts n'ayant pour effet que de l'amplifier. Incapable d'agir, elle se résigna à attendre. De toute évidence, son salut reposait sur l'action de ses amis, à la surface. Heureusement que Sénid avait pensé à emporter cette corde. Ils avaient rechigné devant son exigence de tous s'encorder. Cela venait pourtant de lui sauver la vie. Une chance que n'avaient pas eue leurs poursuivants.

Parce qu'elle marchait à l'arrière et surveillait les soldats, elle avait vu leurs visages lorsque le sol avait cédé sous eux. Elle n'oublierait jamais le mélange d'incrédulité et de frayeur dans leur regard, et encore moins les corps qui tombaient en gesticulant et qui cherchaient à se raccrocher à des prises qui n'existaient pas. Puis, le reste de la croûte de neige s'était brisé et elle était tombée à son tour.

Un mouvement à sa gauche la fit sursauter. Le balancement qui avait presque cessé reprit de plus belle, accompagné en plus d'un mouvement de vrille. Quelques nouveaux monceaux de glace la bombardèrent. Un instant plus tard, une silhouette apparut à sa hauteur. La cyclope reconnut Sénid, qui descendait au bout d'une corde.

— Ça va Aleel ? s'enquit le Viking.

— Oui.

— Reste aussi immobile que possible. Les glaçons qui se détachent sont pointus comme des poignards et l'un d'eux pourrait te blesser.

Il lui attrapa une main, ce qui mit fin au balancement qui commençait à lui donner le tournis. Sénid passa la main devant l'œil d'Aleel, un doigt tendu, dans un geste qui lui demandait de le suivre du regard. Elle s'exécuta sans rechigner, devinant que le Viking voulait s'assurer

NORD

qu'elle n'avait pas reçu un coup à la tête. Sénid poussa un soupir de satisfaction.

— J'ai un peu mal aux côtes, avoua-t-elle.

— Tu en as peut-être une ou deux de cassées, expliqua le Viking. Mais tu ne sembles pas éprouver de difficultés à respirer. Nous pourrons te remonter sans problème. Par mesure de prudence, je vais te passer une seconde corde sous les bras.

Sénid joignit le geste à la parole. Il noua la corde sous les aisselles de la cyclope et s'assura que le nœud n'allait pas l'étouffer. Il lui tâta doucement les côtes, ce qui la fit grimacer de douleur. Il tira ensuite deux coups secs sur la corde. Aleel se prépara à la traction qui allait suivre. À son grand étonnement, ce fut le Viking qui remonta.

— Hé ! s'exclama-t-elle.

— Ne t'inquiète pas, rétorqua Sénid. Je remonte jusqu'au rebord du trou pour enlever les glaçons qui pourraient te blesser. Tu n'as que trois mètres à gravir, mais je préfère éliminer le plus de dangers possible.

Aleel prit son mal en patience. Quelques instants plus tard, elle vit passer d'autres morceaux de glace, qui ne la touchèrent pas, cette fois. Sénid devait s'efforcer de les lancer au loin. Le calme revint au bout d'un moment. Enfin, la cyclope sentit la seconde corde se raidir. Elle remonta doucement, en un mouvement régulier qui l'étonna. Elle s'était plutôt attendue à être tirée vers le haut par saccades, comme lorsqu'on soulève une lourde charge et qu'il faut reprendre sa prise entre chaque effort.

Deux mains se tendirent, tandis qu'elle arrivait en haut. Aleel les saisit et on acheva de la tirer hors du trou à la force des bras. Le rebord du gouffre lui infligea un nouvel élan de douleur dans les côtes. Si elle n'en avait aucune de cassée, elle avait assurément des muscles froissés. Elle se retrouva étendue sur la neige durcie.

En se relevant, elle comprit comment ses sauveteurs avaient réussi à la tirer de sa fâcheuse position sans y aller par à-coups : ils avaient affublé Nolate d'un attelage. La cyclope fixa le centaure de longues seconde en silence. Elle savait à quel point ces quadrupèdes détestaient être perçus comme des bêtes de somme. Pourtant, Nolate venait de poser un geste humiliant pour lui, mais nécessaire, afin de sauver un membre du groupe. Aleel regarda le centaure, incapable de trouver les mots qui marqueraient sa reconnaissance. C'était trop peu, de simples remerciements, pour un sacrifice aussi grand.

À l'aide de son épée, Sénid découpa quelques bandes de fourrure ; il demanda à la cyclope d'ôter son manteau. Elle le laissa soulever sa chemise pour qu'il puisse lui bander les côtes. Encore sous le choc, elle ne rougissait même pas de pudeur. Le Viking agit rapidement et efficacement. Un frisson lui traversa le corps. Elle sourit en songeant que la marche, assurément, la réchaufferait, même s'ils étaient désormais moins pressés.

Ils avaient encore beaucoup de chemin à parcourir, mais au moins ils n'étaient plus suivis.

CHAPITRE QUINZE

Le versev fit une révérence en arrivant au pied du trône. Lama le regarda redresser la tête et lui adressa un sourire magnanime. Elle voulait laisser au délégué l'impression qu'il avait bénéficié d'un traitement de faveur de la part de sa souveraine. Quand il rentrerait chez lui, il croirait avoir eu de la chance. Il ignorait ce qui l'attendait.

— Alors, messire Salil du peuple des versevs… J'espère qu'on vous a traité convenablement lors de votre détention préventive.

— Tout à fait, divine Lama !

— Avez-vous été témoin d'injustices vous incitant à douter de l'impartialité, de l'omnipotence ou de l'indulgence de votre déesse, comme votre collègue Nipas le prétendait ?

— En aucun cas, divine Lama !

— Je suppose que vous répéterez aux vôtres que leur divinité traite tous ses sujets avec équité et justice, commenta Lama. Il est dommage que votre concitoyen n'ait pas accepté d'écouter la voix de la raison. Sa tentative de fuite, alors que nous voulions seulement lui donner les preuves de ses errements, a causé sa perte. Sa mort me chagrine beaucoup, en vérité.

Le versev n'osa aucun commentaire et Lama se demanda un moment s'il était vraiment dupe. En fait, cela n'avait aucune importance. Qu'il accepte la version qu'elle lui présentait ou qu'il croie son ami mort à la suite de mauvais traitements ou même de torture, ce Salil serait trop heureux d'être autorisé à rentrer chez lui pour oser le moindre commentaire. Il avait demandé à ramener les restes de son ami pour les inhumer dans l'humus qui l'avait vu pousser. L'acquiescement de Lama à cette requête devrait le convaincre un peu plus encore de sa magnanimité.

Lama n'en avait cependant pas encore tout à fait fini avec le versev.

— Je vous autorise donc à rentrer en Versevie, déclara-t-elle sur un ton officiel. Néanmoins, et cela, pour les cinq années à venir, je vous interdis de quitter votre patrie, sous peine d'un emprisonnement permanent. Suis-je claire ?

— Oui, divine Lama !

— Vous êtes donc libre à cette condition. J'ai dit !

Elle fit signe au versev de se retirer. Salil esquissa une nouvelle révérence et marcha à reculons jusqu'à la sortie. Il ne se retourna qu'une fois arrivé aux portes et se glissa entre les battants avant que les serviteurs aient fini de les ouvrir. Lama sourit de la crainte manifeste du versev. Il avait dû douter jusqu'à la fin de sa libération.

Lama-Thiva se laissa aller contre le dossier du siège royal. Elle savoura quelques instants de satisfaction, sachant qu'elle avait franchi une étape de plus vers l'accomplissement de son œuvre. Depuis la naissance de sa seconde hermaphroïde, les succès s'accumulaient. Il restait encore du chemin à parcourir avant la transformation à grande échelle des êtres pensants du

Monde connu, mais la réussite ne faisait pas de doute. Lama pourrait bientôt se détendre dans un monde parfait, expurgé de ses différences qui avaient toujours été sources de conflits. Un monde qui serait son œuvre.

Il restait toutefois un motif de tracas sur la route qui menait à cet avenir rayonnant.

Lama quitta son trône et retourna à son laboratoire. Elle ignora les salles dans lesquelles germaient les cosses transformatrices, vides pour le moment, et celles dans lesquelles des êtres mutaient pour devenir les prochains hermaphroïdes. La déesse gravit un long escalier sculpté à même le roc de la paroi. Au sommet, elle entra dans une autre salle, plus petite. Ses habitants s'éveillèrent à son arrivée.

— Alors, mes amis ailés, qui a quelque chose d'intéressant à me transmettre aujourd'hui ?

Elle regarda ses pigeons messagers, dociles sur leurs perchoirs. Il y avait une centaine de ses créations dans cette salle, même si le nombre de juchoirs libres surpassait du double celui des places occupées. Lama marcha lentement entre les oiseaux. Certains s'ébrouèrent, sans qu'aucun fasse mine de chercher à s'envoler. Les pigeons reconnaissaient leur créatrice et, de toute façon, un sort les obligeait à lui obéir en tout.

Lama compta trois pigeons arrivés au cours de la nuit. Encouragée par ce nombre élevé – il y en avait habituellement un ou deux par semaine –, elle récupéra le message attaché à la patte du premier volatile. La déesse lut le rapport, qui venait de la région de la passe Trizone. Lama nota mentalement le nom de l'expéditeur en réfléchissant à la façon de lui annoncer sa disgrâce. Un officier qui trouvait anormale la présence de centaures près des rives du Gnol ne méritait pas son poste. Sans rien attendre de précis du billet suivant, elle récupéra le papier, signé d'un officier des troupes du Nord.

À première vue, il était aussi banal que le précédent. Lama commença à le rouler en boule, mais elle se ravisa, le déplia et le relut avec attention. Un mince sourire se dessina sur ses lèvres. La missive n'annonçait pas la capture du centaure qui avait enlevé Twilop, mais il parlait d'un Viking au comportement et à l'accent qui trahissait un séjour dans le Centre, probablement à Capitalia. L'information n'avait rien de captivant, hormis pour un détail qui avait failli lui échapper dans sa lecture : le Viking en question avait acheté un arc de grande puissance. Une arme idéale pour un centaure.

Lama vérifia la troisième missive, qui ne traitait de rien de significatif. Revenant au second message, elle songea, sceptique, à l'éventualité que le centaure Nolate et ses complices aient choisi le Nord pour destination. Comment auraient-ils pu s'y rendre ? Ils auraient dû repasser par Capitalia, ce qui représentait un risque insensé, ou trouver un autre chemin.

La vieille route du Nord ! Elle était abandonnée, mais le Viking devait en connaître l'existence, puisqu'elle faisait partie de la culture de son peuple. C'était même brillant, car le choix de ce passage les conduisait dans le Nord en évitant les régions habitées. Lama avait enfin une piste, mais elle restait perplexe. Que faisaient-ils dans ce coin perdu du monde ? Et surtout, surtout, la grande question qu'elle se posait depuis qu'elle avait appris l'enlèvement de Twilop, que mijotait Pakir-Skal ?

Après six jours de marche, ils décidèrent d'un commun accord de redescendre du Grand Glacier. Sénid estimait qu'ils avaient parcouru une distance suffisante pour laisser les patrouilles loin derrière. Personne ne devait les chercher aussi loin de Thorhammer. En outre, s'il suffisait de faire fondre un peu de neige pour se procurer de l'eau, leurs réserves de vivres étaient presque complètement épuisées. Et puisqu'il n'y avait rien à cueillir ou à chasser sur la glace...

Ils trouvèrent une montagne aux pentes moins escarpées que ses voisines. Sénid mit néanmoins ses compagnons en garde contre l'illusion d'une descente facile. En montagne, les accidents survenaient très souvent au retour d'une escalade. Ils prirent donc bien leur temps pour rejoindre la plaine. Grâce au regard perçant d'Aleel, ils surent qu'aucune patrouille ne sillonnait les environs. Le constat de la cyclope fut d'autant plus aisé à faire qu'il n'y avait pratiquement aucun arbre dans la région. La forêt avait cédé sa place à une steppe.

— Nous verrons venir un ennemi de loin, commenta Twilop. Cela nous laissera plus de temps pour éviter la confrontation.

— Tu oublies qu'il nous sera plus difficile de nous cacher dans cette plaine, objecta Elbare.

— Évidemment, rétorqua l'hermaphroïde. Dans le pire des cas, nous aurons le temps de nous préparer au combat.

Sénid se retint de refréner l'optimisme de Twilop. Le Viking ne perdait pas de vue que Nolate et lui étaient les seuls à pouvoir vraiment se battre. L'hermaphroïde n'avait aucune expérience et ce qu'elle avait appris au cours du voyage lui permettrait tout juste de faire fuir un voleur à la tire. Elbare pouvait toujours se camoufler en prenant l'apparence d'un arbre. Quant à Aleel, si sa chute ne lui avait finalement pas cassé de côtes, ses muscles endoloris n'avaient pas vraiment eu le temps de guérir complètement.

— Y a-t-il des gens qui vivent dans cette région ? demanda la cyclope.

— Je ne crois pas, répondit Sénid. Je ne suis pas certain de l'endroit où nous sommes, mais j'estime que nous devons approcher de la mer. Je crois qu'un jour ou deux nous sépare du fjord des Dragons.

— Moi, je pense que des gens vivent ici, s'objecta Twilop. Regardez ce que j'ai trouvé.

L'hermaphroïde brandit un morceau de poterie qu'elle avait ramassé près d'une pierre. Sénid s'étonnait de la présence d'un objet de cette nature dans une région aussi désolée. Il n'avait en effet vu aucune trace de civilisation dans le secteur. Peut-être s'agissait-il d'un vestige d'un ancien camp de chasseurs. Le Viking prit l'objet. Il était beaucoup trop mince pour provenir d'une poterie.

— Qu'Odin nous vienne en aide, murmura-t-il.

Il laissa tomber l'objet qui se fracassa sur le sol. Il sortit à moitié son épée et se mit à tourner sur lui-même en jetant un regard circulaire sur la plaine. Ses compagnons le regardaient, perplexes. Sénid s'étonna un moment de leur calme avant de comprendre qu'ils ne réalisaient pas le danger. Évidemment, comment pouvaient-ils savoir ?

— Ce n'est pas de la poterie, annonça-t-il. Il s'agit d'une coquille d'œuf de dragon !

— De dragon ?

Twilop paraissait sceptique.

— Ils sont peu nombreux, expliqua Sénid. Ils ne vivent que dans une toute petite région du Nord que nous prenons soin d'éviter. Très peu de gens en ont vu. Encore moins ont survécu pour raconter leur aventure… Mais ils existent. Crois-moi, ils existent !

— J'en ai entendu parler, intervint Aleel. Ils ressemblent à d'immenses oiseaux, ils ont le corps couvert d'écailles plutôt que de plumes, et on prétend aussi qu'ils crachent du feu.

— Je croyais que nous avions marché assez loin vers l'ouest pour contourner leur territoire, souffla Sénid.

Mon idée était que nous allions ensuite vers le sud jusqu'à Dragonberg. De toute évidence, nous n'avons pas parcouru une assez grande distance. Il faut retourner sur le glacier !

— Comment ? s'écria Elbare. Aurais-tu perdu l'esprit ?

— Elbare a raison, renchérit Nolate. Nous ne pouvons retourner sur le glacier et tu le sais fort bien. Nous manquons de vivres.

Terrifié de se savoir dans le territoire des pires créatures du Monde connu, Sénid en avait oublié les raisons qui les y avaient conduits. Peut-être trouveraient-ils un animal qu'ils pourraient chasser et regarnir leurs gibecières de manière à tenir deux jours de plus ! Le Viking réalisa le caractère utopique de son idée avant même d'avoir achevé sa réflexion. Aucun animal de taille suffisante pour les nourrir tous les cinq ne vivait dans cette plaine. Les dragons les avaient tous chassés.

— Dans ce cas, réfléchit-il à haute voix, il faudra nous déplacer de nuit. Les dragons sont des chasseurs essentiellement diurnes. Ils sont même particulièrement actifs à la fin du printemps et au début de l'été.

— Une chance pour nous que les nuits s'allongent, commenta Nolate. Et, justement, la journée est plutôt avancée. Prenons un peu de repos, nous partirons au crépuscule. Il faudra trouver quelque nourriture sur notre route ou nous serrer la ceinture.

Ils s'installèrent au pied de la montagne pour dormir quelques heures. Aleel et Twilop déplièrent une couverture et s'y enroulèrent, leur sac en guise d'oreiller. Nolate se contenta de s'étendre comme le font les chevaux. Elbare se trouva un peu de terre meuble et s'y planta pour devenir un arbre. Sénid resta seul pour monter la garde. Comment aurait-il pu dormir ? Non, décidément, ses amis ne réalisaient pas le danger.

Le Viking s'était préparé mentalement à rencontrer de nombreux obstacles dans ce voyage. Il n'avait pas été vraiment surpris que des troupes du Pentacle se soient mises à leurs trousses, même si elles étaient intervenues trop tôt à leur goût. Ils devraient encore les affronter, Sénid en avait la conviction. Ces dangers-là, il les acceptait. Mais se retrouver dans le territoire des dragons !

Un grondement lointain retentit et le fit sursauter violemment. Les autres ne réagirent pas ; ils demeuraient tous étendus et savouraient ce moment de repos le plus possible avant la marche nocturne imminente. Ils avaient dû confondre ce bruit insolite avec le grondement lointain d'un orage. Une bande de nuages sombres grimpait lentement et cachait le soleil. Peut-être était-ce réellement le tonnerre, qu'il avait entendu...

Cette pensée ne lui apporta aucun réconfort.

Nolate vit enfin la bande bleu sombre que la cyclope signalait depuis plusieurs minutes. Cette ligne parfaitement horizontale mettait fin au paysage irrégulier de collines entre lesquelles ils avançaient depuis quatre jours. La steppe semi-aride n'offrait que des rochers disposés au hasard et, çà et là, une source chaude et même deux ou trois petits geysers. Ils n'avaient vu aucune trace de dragons et la proximité de la mer signifiait qu'ils avaient au moins échappé à ce danger. Tous en ressentaient le soulagement.

Pour le centaure, cette satisfaction était cependant atténuée par un autre sentiment beaucoup moins agréable. Ses semblables avaient une peur atavique des étendues d'eau, au point que, même si leur capitale se trouvait en bord de mer, ils avaient érigé un mur qui cachait au reste de la ville le port et le quartier des débardeurs, où s'affairaient des humains et des cyclopes exclusivement. Nolate était soulagé d'avoir évité les dragons, mais il ne pouvait oublier que dans quelques jours ils navigueraient sur cette immensité.

Ils aperçurent enfin la route reliant Dragonberg à Thorhammer. Sénid s'y serait précipité sans attendre si Nolate ne l'avait pas arrêté. Le centaure tenait à ce qu'Aleel examine les environs avant d'aller plus loin. Le don de la cyclope leur avait évité de nombreux dangers jusqu'à présent ; il eût été absurde de ne plus profiter de cet avantage.

— Il n'y a personne en vue, annonça Aleel.

Nolate donna le signal et ils prirent la route. La bande de terre marquait le plateau d'un trait qui menait droit vers la mer. Près du sommet de la falaise, elle bifurquait sur la droite. Sénid arriva le premier au tournant. Sans crainte, il s'aventura jusqu'au rebord de la paroi verticale. Le centaure le suivit, faisant preuve de plus de prudence. Il se sentit pris d'un léger vertige en découvrant un précipice de plusieurs centaines de mètres de profondeur. Au fond, près d'une baie, il y avait une petite ville.

— Voilà Dragonberg ! cria Sénid. Nous serons chez moi en fin de journée.

Le Viking s'engagea sur la route qui menait à une corniche. Il marchait d'un pas alerte, rayonnant d'un optimisme retrouvé que ne partageait pas Nolate. Jusqu'à leur arrivée au bas de la pente, ils progresseraient entre une falaise et un précipice, et les méandres de la route ne leur offriraient aucune cachette. Il ne restait qu'à espérer que les six jours de marche sur le Grand Glacier les aient amenés assez loin à l'arrière de la zone de fouille des soldats.

Cet espoir fut anéanti dès le troisième tournant. Sénid s'arrêta net et Nolate se cogna presque contre lui. Face à eux, les six soldats s'étaient également immobilisés.

Le commandant de la patrouille du Pentacle paraissait aussi surpris qu'eux de cette rencontre inopinée. Peut-être avait-il de la difficulté à croire en sa chance ? Ils inspectaient un endroit particulièrement retiré et pourtant c'était eux qui trouvaient les fugitifs. L'officier devait jubiler en songeant à la promotion qui l'attendait.

— Voyez-vous ça ? pavoisa-t-il. Un Viking, un centaure et une cyclope. Et vous ? Seriez-vous un versev ? Inutile de répondre. Vous êtes ceux que la très estimée déesse fait rechercher dans l'ensemble du Monde connu. Je croyais que nous perdions notre temps, si loin de Thorhammer. Apparemment, nous avons de la chance.

Le commandant de la patrouille fixa son regard sur le centaure.

— En revanche, je dirais que la chance vous a abandonné, maître Nolate. De tous les êtres susceptibles de trahir la déesse, vous êtes certainement le dernier que j'aurais soupçonné. Je n'en croyais pas mes oreilles quand on nous a fourni l'identité de ceux que nous devions rechercher. Qu'est-ce qui peut avoir poussé le maître d'armes le plus estimé de l'Académie à se retourner contre sa souveraine ?

Nolate se demanda ce qu'il pouvait répondre. Devait-il lui révéler les intentions de la déesse, dans l'espoir de convaincre les soldats ? Le centaure savait qu'il faudrait de longues explications pour en arriver là et il doutait que l'officier le laisse tout expliquer. Il lui semblait reconnaître l'homme, un élève qu'il avait eu plusieurs années plus tôt. Le respect de l'officier pour son ancien instructeur suffirait-il ?

Le commandant de la patrouille rompit le silence.

— Peu importe, j'ai un devoir à accomplir... Vous êtes en état d'arrestation pour l'enlèvement de la citoyenne Twilop, protégée de la très estimée Lama-Thiva, souveraine éternelle du Monde connu. Veuillez nous remettre vos armes et nous suivre sans faire d'histoires.

En guise de réponse, Sénid dégaina son épée et prit une position de combat. En professionnels aguerris – ils avaient suivi le même entraînement que le Viking –, les soldats sortirent leurs armes et se préparèrent au combat. Nolate tira également la sienne. Il ne pouvait utiliser son arc dans un corps à corps et n'avait pas de lance avec lui. En fait, même avec l'épée, il aurait de la difficulté à aider Sénid. L'étroitesse du sentier ne laissait pas vraiment de place à deux combattants de front.

Pour les mêmes raisons, sans doute, l'officier hésita à ordonner une attaque.

— Allons, Viking, temporisa-t-il. Crois-tu avoir une chance à un contre six ? Montrez-vous raisonnables. Libérez votre otage et rendez-vous.

— Je ne suis pas un otage !

Twilop fit un pas en avant et se planta devant l'officier.

— Je suis une hermaphroïde, une création de la déesse. J'ai accompagné librement ces gens qui sont devenus mes amis. Nous parcourons le Monde connu pour avertir tous ses habitants des intentions de Lama. Elle compte vous transformer tous en créatures de mon espèce.

La réaction de l'officier prouva son scepticisme.

— Vraiment, chère amie, voilà une histoire intéressante ! J'en connais une tout aussi captivante. Une jeune femme albinos est enlevée et ses ravisseurs lui font subir tant de privations qu'elle en perd l'esprit. Ils lui font ensuite gober une histoire invraisemblable… Alors, vous nous les remettez, vos armes ?

Sénid raffermit sa prise et se prépara au combat. Cette fois, Nolate savait que l'officier allait ordonner la charge. Le Viking et lui seraient seuls en première ligne ; ils protégeraient Aleel, Elbare et Twilop. Il espérait que Sénid ou lui survivrait au combat. Dans le cas contraire, il pria Equus de donner à la cyclope la force de mener à bien leur tâche. Quand un soldat leva son épée, Nolate attendit l'assaut. L'homme fit cependant un pas en arrière, une terreur nettement apparente sur le visage. Ses collègues semblèrent tout à coup pris de panique.

— Qu'Odin nous vienne en aide ! s'écria un des soldats, trahissant par cette invocation ses origines vikings.

Nolate vit une ombre balayer rapidement la route. Il leva les yeux vers le ciel, certain à présent qu'il ne s'agissait pas d'une ruse pour détourner leur attention. En un instant, la frayeur qu'il venait de voir sur les traits des soldats le gagna à son tour. Une créature ailée mesurant plusieurs fois la taille d'un homme planait au-dessus de la vallée. La bête tourna vers sa droite, battit une seule fois de ses larges ailes aux écailles grises et fonça vers eux. Son rugissement glaçait le sang dans les veines.

Le dragon ouvrit la gueule et cracha une boule de flammes droit sur eux.

★★★

Entre la falaise et le précipice, il n'y avait que le sentier pour tenter une fuite. Aleel vit Twilop choisir la mauvaise direction et se mettre à courir en remontant la pente. Un choix mal avisé qui l'amenait dans la trajectoire de la boule de flammes. La cyclope se jeta aussitôt sur l'hermaphroïde pour la plaquer au sol. Elle grimaça lorsque la douleur à la poitrine lui rappela sa chute dans la crevasse du Grand Glacier la semaine précédente.

Un moment plus tard, une vive lueur éclaira le sentier et Aleel sentit un souffle brûlant l'envelopper. La sensation ne dura heureusement qu'un instant. Twilop regarda autour d'elle et découvrit les quelques brins d'herbe calcinés et la pierre noircie, tout juste au-dessus de leurs têtes. Les flammes les avaient ratées de vraiment très peu.

— Merci, lança l'hermaphroïde en se relevant. Je...

Un cri d'effroi coupa les remerciements de Twilop. Aleel se retourna et vit, horrifiée, les silhouettes enflammées de deux soldats qui gesticulaient en hurlant. L'un d'eux fit trois pas avant de s'écrouler, inerte. L'autre, toujours hurlant de douleur, courait en tout sens. L'homme se heurta à la paroi de la falaise et rebroussa chemin. Personne n'eut le temps de réagir au moment où il franchit le rebord du précipice et tomba dans le vide.

Dans le ciel, le dragon faisait demi-tour.

— Ne restez pas plantées là ! cria Sénid à l'intention d'Aleel et de Twilop. Suivez les autres. Il y a des cavernes dans ces collines, nous pourrons y trouver refuge !

Le dragon arrivait cette fois de l'amont du sentier, derrière eux. Elles s'élancèrent au pas de course. La cyclope faillit trébucher contre le cadavre calciné du soldat. En réprimant sa nausée, elle courut de plus belle, Twilop à sa suite. Elles passèrent entre Sénid et le commandant qui, côte à côte, se préparaient à affronter le monstre. De voir ainsi deux ennemis soudain réunis dans le même camp lui aurait arraché un sourire dans d'autres circonstances. Rien de tel qu'un adversaire commun pour rapprocher deux belligérants...

Les deux hommes ne pouvaient négliger le fait qu'il leur était impossible de survivre à un affrontement avec un ennemi capable de les incendier. Sans bouclier, ils seraient calcinés en quelques secondes. Avaient-ils décidé de se sacrifier pour donner au reste du groupe une petite chance de s'échapper? Aleel ne voulut pas y croire. Elle ne pouvait tout simplement pas imaginer la suite de leur mission sans le Viking à leurs côtés.

La cyclope resta figée sur place, paralysée par la frayeur en anticipant ce qui allait suivre. Le dragon battit des ailes pour freiner sa course. Aleel s'attendait à une nouvelle boule de flammes qui viserait Sénid. Mais le dragon ignora complètement la présence des deux hommes et se jeta sur le corps calciné. La cyclope eut un hoquet d'horreur quand elle vit la bête planter ses crocs dans le corps sans vie. La monstrueuse créature entreprit de dépecer la dépouille de l'infortuné soldat pour se régaler de sa chair.

Aleel ne parvenait pas à détacher son regard du spectacle atroce qui s'offrait à elle. L'image des corps déchiquetés et le bruit sinistre des os broyés la hanteraient jusqu'à la fin de sa vie. Des borborygmes à sa droite l'arrachèrent enfin à cette scène d'horreur. Pliée en deux, Twilop vomissait.

— Voilà notre chance ! lança Sénid. Fuyons pendant qu'il est occupé !

À l'instar de la cyclope, l'officier semblait paralysé par ce qu'il voyait.

— C'est un de mes hommes ! s'écria-t-il soudain.

— Nous ne pouvons plus rien pour lui, dit Sénid. Si nous ne partons pas immédiatement, ce sera notre sort à tous !

L'officier finit par se rendre à l'évidence. Il jeta un dernier regard à son infortuné collègue et suivit le Viking sur le sentier, lentement pour ne pas attirer l'attention de la bête. Quand ils passèrent près d'Aleel, Sénid et elle échangèrent un regard. Elle aurait voulu trouver quelque parole d'encouragement, mais aucun mot ne semblait approprié. Le Viking parut pourtant parfaitement comprendre.

— Aide Twilop, dit-il, d'une voix douce. Il faut trouver une cachette.

— Nous avons fait halte dans une caverne non loin d'ici, expliqua l'officier à voix basse. Il faut passer un petit plateau et descendre jusqu'à mi-pente. Mes hommes y sont sûrement déjà, avec le centaure et le versev !

— La caverne de la Source, répondit Sénid. J'y ai joué souvent enfant. Si le dragon reste occupé assez longtemps, nous avons une petite chance de l'atteindre.

Il ne mentionna pas ce qui distrayait la bête, les bruits de mastication rappelaient déjà bien assez son macabre repas. Ils marchèrent lentement, sans faire de bruit, jusqu'à se retrouver hors de la vue de l'animal. Alors seulement ils partirent au pas de course.

Un grondement semblable à un coup de tonnerre fit comprendre à la cyclope que la chance n'entendait pas les favoriser plus longtemps. Aleel jeta un coup d'œil par-dessus son épaule et vit le dragon surgir derrière un rocher qui surplombait partiellement le sentier. Il s'efforçait de les atteindre, en dépit d'une saillie qui entravait le mouvement de ses ailes. Personne ne resta sur place pour lui laisser le temps de contourner l'obstacle. L'animal réussit à trouver un angle d'attaque et lança une nouvelle boule de flammes vers ses proies. Aleel fut soulagée de constater que le dragon les avait ratés de plusieurs mètres.

Son étonnement redoubla lorsqu'elle franchit le tournant suivant, ce qui les amena au plateau qu'avait mentionné l'officier. Elle se heurta en effet à Elbare, qui se tenait au centre du sentier. Nolate y était également arrêté, ainsi que les trois soldats survivants. Pourquoi donc avaient-ils commis la folie de les attendre plutôt que de courir jusqu'à la caverne ?

Elle en comprit la raison en jetant un regard sur le plateau. La petite zone plane d'environ cent mètres par cinquante, bordée par trois falaises et couverte d'une herbe drue, n'attira son attention qu'un instant seulement. Elle songea avec une pointe d'ironie qu'ils auraient eu à traverser rapidement cet espace dégagé entre deux passages du monstre, s'il n'y avait pas eu un obstacle de plus sur la route.

Deux autres dragons les attendaient sur le plateau.

Twilop fit un effort pour ne pas éclater en sanglots. Elle savait à présent pourquoi le dragon les avait ratés avec sa boule de flammes sur le sentier. La bête n'avait fait preuve d'aucune maladresse, elle rabattait plutôt ses proies vers ses congénères. L'hermaphroïde maudit leur intelligence, tout en réalisant fort bien la futilité de sa colère.

— Nous sommes perdus ! ragea Aleel. Toute retraite est bloquée.

Un des dragons avait à peu près la même taille que le rabatteur. Sa tête était cependant plus arrondie et ses écailles tiraient sur le marron plutôt que sur le gris. Le troisième avait la moitié de la taille de ses semblables. Sa couleur intermédiaire entre celles des deux autres incita l'hermaphroïde à conclure qu'ils se trouvaient confrontés à une famille. Twilop devina que les dragons adultes n'attaquaient pas pour laisser à leur rejeton une occasion de s'exercer à la chasse.

Le dragonneau trépignait à la vue d'autant de proies.

— Si seulement cette tache dans la paroi pouvait être l'entrée d'une caverne, lança Elbare. Nous pourrions tenter de nous y abriter.

Twilop vit aussi la marque sombre, à demi dissimulée derrière un buisson.

— C'est une caverne, confirma Aleel. Nous avons une chance!

— Elle se trouve derrière les dragons! objecta Twilop. Ces monstres ne vont pas nous laisser passer sans réagir...

— Il faut créer une diversion, suggéra Nolate.

Le centaure prépara son arc et suggéra aux autres de ramasser des pierres. Twilop était sceptique, mais elle imita ses compagnons sans discuter. Elle ne voyait pas ce que d'aussi petits projectiles pourraient infliger à de pareils bestiaux. Nolate encochait une flèche en évitant tout mouvement brusque. Le petit dragon le fixait d'un regard incertain, comme s'il ignorait comment réagir. Il se serait sûrement précipité sur le centaure si ce dernier avait tenté de fuir.

La première flèche rebondit sur ses écailles. La seconde resta plantée dans une patte avant de l'animal, qui réagit en rugissant de colère et chercha à arracher la pointe indésirable avec ses dents. Le dragon marron – la mère, peut-être – apprécia peu le traitement fait à sa progéniture. La bête prit une longue inspiration. Les lanceurs de pierres entrèrent aussitôt en scène. Gênée par ces petits projectiles, la mère ne pouvait se concentrer pour cracher ses flammes. Voyant ses congénères attaqués, le rabatteur s'avança à son tour. L'entrée de la caverne devint provisoirement libre.

— Courez ! cria Nolate.

Elbare et Aleel se précipitèrent. Ils réussirent à se glisser dans l'ouverture. Deux soldats suivirent, alors que les autres reculaient en continuant à lancer des projectiles. Un des dragons réussit à bloquer de nouveau l'entrée du refuge. Cette fois, il n'y aurait pas moyen de détourner leur attention. En reculant, Twilop se heurta au commandant de la patrouille. Il regardait Nolate vider son carquois sur les dragons. Lui seul empêchait les bêtes de s'en prendre à ceux qui étaient restés à l'extérieur.

— Ça ne marchera pas une seconde fois, fit l'officier. Il faut une autre diversion.

Il fixa Twilop en silence et reprit :

— Était-ce vrai, ce que tu disais tout à l'heure ? demanda-t-il enfin. Lama veut vraiment tous nous transformer en créatures semblables à toi ?

— Oui, répondit Twilop, surprise de la question.

L'officier ne reprit pas tout de suite la parole. Il sortit un pendentif qu'il gardait sous sa chemise et le caressa un moment. L'homme se mordilla les lèvres, comme s'il venait de prendre une décision importante. Il retira le pendentif et le déposa dans les mains de l'hermaphroïde. Twilop regarda l'objet, perplexe.

— J'ai une femme et deux enfants, expliqua-t-il. Si vous vous en sortez, essaie de les retrouver et dis-leur que je les aime.

Twilop hocha la tête, toujours perplexe. Le commandant se tourna vers les dragons. Il raffermit sa prise sur son épée et se rua en avant en lançant un long cri. Les bêtes parurent surprises de cet assaut et suivirent l'officier du regard, alors qu'il fonçait sur eux. Le soldat leva son arme et la rabattit de toutes ses forces sur le petit dragon. Il le frappa à trois reprises à une patte antérieure, qu'il finit par trancher.

— À la caverne ! cria-t-il. Courez !

Le groupe se précipita. Le centaure s'arrêta sur le seuil pour s'assurer de faire passer les autres. Twilop le vit décocher ses dernières flèches, peut-être dans le futile espoir de donner une chance à l'officier. La plupart rebondissaient sur les écailles, alors que celles qui restaient plantées dans les flancs des bêtes ne semblaient pas les affecter plus que ne l'auraient fait de simples échardes. L'hermaphroïde chercha du regard le commandant de la patrouille. L'homme poursuivait son assaut. Il visait maintenant la bête marron.

Rendu furieux par la blessure infligée à son petit, l'animal dédaigna les jets de flammes pour asséner à l'homme un violent coup de patte. Le commandant se jeta au sol, évitant de justesse les griffes acérées. Il se releva sans laisser à la bête le temps de réagir et courut sous la créature. D'un geste précis, il enfonça sa lame dans le ventre de l'animal. Le dragon lança un cri strident et s'écroula. Sa queue tressaillit quelques secondes, puis s'immobilisa.

Le dragon rabatteur grogna sa colère. Il fondit sur l'officier et cracha une boule de flammes qui enveloppa sa victime. Le regard de Twilop allait de l'homme qui s'effondrait au pendentif qu'il lui avait remis. Le commandant de la patrouille s'était sacrifié non seulement pour ses hommes, mais aussi pour eux, qu'il ne connaissait pourtant que depuis quelques minutes. Elle laissa couler ses larmes.

CHAPITRE SEIZE

Nolate s'accorda quelques secondes pour reprendre son souffle. Un regard circulaire dans la caverne lui permit de découvrir ses amis, tous indemnes. Twilop sanglotait dans les bras de la cyclope, qui ne parvenait pas à la consoler. L'hermaphroïde semblait particulièrement affectée par la mort du commandant. Nolate avait vu l'officier lui confier quelque chose avant de lancer son attaque suicide. Peu importait ce qu'il lui avait donné, son sacrifice avait sauvé aussi bien ses derniers soldats que ceux qu'il avait eu pour mission de faire prisonniers.

Son héroïsme resterait vain s'ils n'arrivaient pas à échapper aux dragons.

— Nous sommes fichus ! se plaignit un des soldats. Cette caverne n'a aucune autre issue et nous n'avons presque plus d'eau.

— Ce n'est pas la caverne de la Source ? demanda Elbare.

— Elle est un peu plus loin sur le sentier, déplora Sénid. Mais nous pouvons tenter une sortie de nuit. Les dragons ne chassent que le jour.

— Pourquoi voudrais-tu nous aider, déserteur ? répliqua le soldat.

— Il a tout de même raison, admit un de ses compagnons, celui qui avait juré par Odin. Les dragons ne sortent pas la nuit.

— Peut-être. Je pense plutôt qu'il compte nous utiliser comme bouclier pour s'échapper, avec sa bande de traîtres.

— Ça suffit ! intervint Nolate. C'est pour nous tous que votre commandant s'est sacrifié. J'ai eu beaucoup d'élèves à l'Académie et, malgré cela, je me souviens de lui. Vous devriez vous féliciter d'avoir servi sous les ordres de cet homme de bien. Quant à Sénid, jamais il n'a déserté, on vous a menti à ce propos.

— Le traître défend le déserteur! clama le soldat. Que vaut une telle parole ?

— Il s'agit de celle de maître Nolate, rappela son compagnon d'origine viking. Je ne l'ai jamais eu comme professeur, mais sa réputation d'intégrité faisait l'admiration de tous.

— Ne te laisse pas abuser par sa propagande, Borgar, s'emporta l'autre. Sa position fait au contraire de lui l'un des pires traîtres et nous allons les livrer à la justice, et je…

Un hurlement venant de l'extérieur coupa net la discussion. Tous se tournèrent vers l'entrée de la caverne. Pris par leur dispute, ils en avaient oublié la présence des dragons. Nolate qui se trouvait le plus près de l'entrée risqua un regard à l'extérieur. Le dragon gris donnait de petits coups de museau au dragonneau qui gisait, immobile, dans l'herbe rougie de son sang. La tentative ne produisit aucun effet. Le monstre gris releva la tête vers le ciel pour rugir sa colère.

— Le petit dragon vient de mourir, commenta Nolate. Une sortie de nuit devient plus facilement envisageable.

L'animal l'avait peut-être entendu, à moins qu'il n'ait choisi ce moment pour se retourner contre les meurtriers de ses congénères. Toujours est-il qu'il se rua vers la caverne. Nolate recula vivement, juste à temps pour éviter la boule de flammes qui éclata tout contre l'entrée. Un regard en arrière lui montra que personne n'avait été atteint.

Le dragon changea de tactique. Il tenta d'abord de passer la tête par l'ouverture, puis tendit une patte pour s'efforcer de capturer ses proies. Chacun dans la caverne fit de son mieux pour se coller aux parois et demeurer hors de portée des griffes acérées. La caverne était cependant plutôt petite et Nolate qui, par sa stature de quadrupède, occupait le plus de place, sentit les écailles frôler plusieurs fois son crin. Voyant son mentor en danger, Sénid sortit son épée et l'enfonça dans le membre. Le bruit sinistre de la lame râpant l'os fut aussitôt suivi par un hurlement de douleur.

La bête tira en arrière pour extraire sa patte. Surpris par la vivacité du geste, le Viking ne lâcha pas sa lame à temps. Il fut tiré vers la bouche de la caverne et glissa lourdement sur le roc irrégulier du sol. La patte du dragon s'appuya un instant de tout son poids sur lui en l'entraînant vers la sortie.

— Sénid !

La cyclope se précipita à la rescousse du Viking, qui parvint à se défaire seul de la patte du dragon. Il se retrouva sur le seuil, étourdi, peut-être blessé, exposé à la colère de l'animal. Aleel profita de ce que le dragon tentait d'arracher l'épée plantée dans sa peau pour traîner le Viking à l'intérieur. Dans sa hâte, elle trébucha, mais se redressa aussitôt et vint s'agenouiller près du blessé.

— Est-ce que ça va ?

— Il ne faudra pas me demander de faire de pirouettes dans les prochains jours... badina Sénid.

— Attention ! cria l'un des soldats.

La cyclope et le Viking se relevèrent à toute vitesse, Aleel usant de toute sa force pour aider son ami à se remettre sur pieds. Ils se jetèrent tous deux dans une anfractuosité de la caverne et évitèrent de justesse une nouvelle boule de feu. La lueur des flammes qui éclairaient la salle produisait aussi une chaleur qui risquait de rendre le séjour dans la caverne rapidement insupportable. Face à la colère du monstre, Nolate réalisa qu'ils ne pourraient sans doute pas attendre la nuit.

— Comment va-t-il ? demanda le centaure.

Aleel, qui avait utilisé une partie de l'eau de sa gourde pour nettoyer les blessures de Sénid, se contenta d'un sourire rassurant et continua à panser la main du Viking. Nolate avait posé la question plus pour se donner du temps de réflexion que pour connaître l'état de santé de son élève. Il s'en préoccupait, évidemment, mais, si le dragon s'entêtait à lancer ses flammes dans la caverne, ils seraient bientôt cuits comme des pains dans un four...

Aucun autre jet de flamme ne visa pourtant la caverne dans les instants qui suivirent. Les grognements du dragon semblaient plus distants, comme s'il avait renoncé à les attraper. Le centaure n'en croyait rien, même s'il appréciait le répit. Le dragon n'allait certainement pas laisser tomber. Comme pour lui donner raison d'entretenir de telles pensées, une fumée pénétra lentement dans la caverne.

— Que se passe-t-il encore ? demanda le soldat viking.

— Le dragon a mis le feu à l'herbe du plateau, répondit Sénid. Il compte nous forcer à sortir pour nous cueillir sur le seuil.

Il acheva sa phrase en toussant.

— Que peut-on faire ? intervint Twilop.

— Je crois qu'il faudra tenter une sortie plus tôt que prévu, conclut Nolate. Lançons une attaque !

— Il va nous écharper! s'exclama le soldat.

— Nous allons mourir, si nous restons ici, coupa le soldat nommé Borgar. Mourir pour mourir, mieux vaut que ce soit en combattant.

— Nous avons quatre épées, fit Nolate. Le dragon s'attend à nous voir évacuer la caverne affaiblis et aveuglés par la fumée. Si nous fonçons, nous avons une chance de le surprendre. Ce sera risqué, mais je ne vois pas ce que nous pourrions tenter d'autre. Êtes-vous avec moi ?

Les soldats se regardèrent en silence. Pour toute réponse, le Viking leva son épée. Après une courte hésitation, les autres firent de même. Nolate prit sa propre arme et la leva vers la voûte de la caverne. Il adressa une prière silencieuse à Equus et, résolument, il se mit en position devant l'entrée. Il profita d'un courant d'air frais pour prendre une profonde inspiration.

— À l'attaque ! cria-t-il.

Il se rua à l'extérieur.

★★★

Les soldats foncèrent hors de la caverne à la suite du centaure. Elbare se demanda s'ils trouvaient ironique de combattre soudain sous les ordres de celui qu'ils avaient toujours pour mission de capturer. Les trois hommes comprenaient sans doute parfaitement qu'ils n'avaient pas réellement le choix. De fait, ils se lançaient dans un assaut désespéré qui constituait leur dernière chance d'en réchapper.

— Par là ! s'écria Sénid. L'accès au sentier est provisoirement libre.

Le Viking courut à son tour à l'extérieur. Elbare suivit, Aleel et Twilop sur ses talons. Mais la chance n'était pas de leur côté, puisque, en dépit des combattants qui le harcelaient, le dragon prit le temps de se tourner dans leur direction et de lancer un jet de flammes qui embrasa l'accès au sentier, ruinant toute possibilité de fuite de ce côté. Elbare réprima un début de panique et se cacha dans un buisson qui couvrait en partie le bas de la falaise.

Sénid choisit une tout autre direction. À la stupé-faction du versev, il fonça vers le cadavre du dragon marron et s'avança entre ses pattes. L'énigme de cet étrange comportement trouva sa réponse lorsqu'il se releva, une épée à la main. Ayant planté la sienne dans la patte du dernier dragon, Sénid récupérait celle du commandant de la patrouille. De nouveau armé, il se porta à la rescousse des autres. Sa mésaventure de la caverne ne semblait pas l'affecter outre mesure et son aide fut la bienvenue dans le combat désespéré contre le dragon.

Des pattes et de la queue, l'animal cherchait à atteindre ses assaillants. Il tenta même une fois de capturer Nolate d'un claquement de ses puissantes mâchoires. À au moins deux reprises, Elbare vit le dragon gonfler ses poumons pour lancer une gerbe de feu. Les combattants se précipitaient aussitôt pour le harceler et le forcer à changer de position. Incapable de rester immobile assez longtemps pour concentrer ses flammes, il devait renon-cer à chaque fois.

Sa fureur semblait avoir atteint un paroxysme, car il supportait les coups d'épée et poursuivait ses attaques sans essayer de fuir. Il lui aurait pourtant suffi de s'en-voler pour éviter les armes de ses adversaires. Ce fut lorsque le dragon déploya ses ailes qu'Elbare découvrit pourquoi il restait au sol : les combattants avaient réussi à déchirer la membrane de son aile gauche.

Si l'animal ne pouvait plus s'envoler, il n'en était pas devenu inoffensif pour autant. Elbare constata toute l'intelligence de la bête qui se rapprocha d'une zone enflammée du petit plateau. Lorsqu'elle en fut assez près, elle battit des ailes pour raviver les flammes et projeter une épaisse fumée grise vers les combattants. Asphyxiés, les quatre hommes et le centaure durent interrompre leur harcèlement. La bête n'avait besoin que de ce répit pour passer à l'offensive.

Le premier jet de flammes éclata si près de Sénid que le versev le crut mort. Quand les flammes se dissipèrent, il vit qu'il s'était jeté au sol pour rouler loin de la boule incandescente. D'un violent coup de patte, le dragon atteignit ensuite un soldat qui se tenait trop près. L'homme fut projeté contre la paroi rocheuse la plus près et retomba, inconscient.

— À l'aide ! cria soudain Aleel, si près d'Elbare qu'il en sursauta. Sauvez-les !

Il se demanda comment la cyclope pouvait se montrer aussi imprudente. Occupé par ses adversaires, le dragon s'était désintéressé d'eux. À présent, avec deux adversaires en moins, il aurait le loisir de revenir les menacer. Désarmés comme ils l'étaient, leur seule chance était de rester immobiles dans le buisson et de garder le silence le plus complet. Pourquoi détruire ce mince espoir d'un cri, qui plus est un appel à l'aide ?

Quand il vit dans quelle direction regardait Aleel, il fut pris d'un fol espoir.

— Vite ! retentit une voix inconnue. Les boucliers !

Une dizaine d'hommes, des Vikings, d'après leur habillement, débouchèrent du sentier et se lancèrent aussitôt dans la mêlée en y apportant des atouts supplémentaires. Deux hommes jetèrent un bouclier sur l'herbe enflammée, pendant que les autres tenaient le leur prêt à arrêter les flammes de la bête. Les Vikings coururent sur le passage ainsi créé, qui aurait également permis à Aleel, Twilop et lui de s'échapper. Ils n'en firent rien. Avec ces renforts inattendus, le sort du dragon était scellé. Ce n'était qu'une question de temps.

Elbare se demanda un instant s'il ne s'était pas réjoui un peu trop vite. Autour du dragon, il ne restait que le centaure encore debout face à la bête. Les trois soldats gisaient sur le sol, inconscients ou morts, et Sénid se relevait en titubant, semblant incapable de reprendre le combat.

Un Viking blond à la musculature saillante courait en tête des renforts. Le colosse projeta sa lance en plein élan. Il se trouvait encore un peu loin de la bête pour lui infliger une blessure sérieuse, mais la manœuvre détourna son l'attention et sauva le centaure d'un jet de flammes mortel. La boule de feu explosa au-dessus de Nolate, qui en eut sûrement le crin roussi. Quant au dragon, il pivota pour faire face à ce nouvel ennemi.

Le Viking blond allait payer cher son assaut. Impuissant, Elbare vit l'animal gonfler ses poumons et cracher un long jet de feu sur sa nouvelle victime. L'homme s'accroupit, un genou au sol, et baissa la tête pour se cacher entièrement derrière le bouclier. Les flammes l'entourèrent de longues secondes. Quand le dragon arrêta de souffler, le versev regarda ce qui restait du Viking. Il n'en crut pas ses yeux en voyant l'homme se relever, indemne, tenant son bouclier qui fumait encore. Un compatriote passa juste à côté et lui remit une nouvelle lance.

Le colosse se tourna vers Nolate.

— Centaure ! cria-t-il.

Nolate se retourna. Le Viking lui lança l'arme qui flotta dans les airs, pointe dressée vers le ciel. Le centaure attrapa la lance par son milieu et la fit pivoter vers le dragon. Harcelée par les autres Vikings, la bête tarda à reporter son attention sur son ennemi quadrupède. Nolate n'eut aucune hésitation : il galopa vers le dragon et, alliant sa force à la vitesse de son pas, enfonça l'arme dans la poitrine du monstre. L'animal s'écroula. Sa queue tressaillit quelques instants, puis il ne bougea plus. Elbare mit un certain temps à réaliser qu'il était mort et que tout danger était écarté.

✯ ✯ ✯

Encore étourdi par sa roulade sur le sol, Sénid rejoignit Nolate en boitant légèrement. Le Viking se doutait qu'il ressentirait des courbatures pendant plusieurs jours. Devant lui, le centaure reprenait péniblement son souffle, le torse incliné. Lui aussi avait déployé toutes ses forces dans la bataille. Il jeta un regard de côté vers son élève et sourit. Sénid lui rendit ce sourire. En dépit de leur épuisement et des ecchymoses, ils étaient toujours en vie. Grâce à l'arrivée de ses compatriotes vikings.

Ils étaient dix, armés de boucliers et de lances, en plus de leurs épées. L'un d'eux, le colosse aux cheveux blonds, examinait le corps inerte du dragon gris, comme s'il n'était pas convaincu de sa mort. Deux autres Vikings l'assistaient dans cette inspection. Sénid en déduisit que cet homme blond commandait le groupe venu leur porter secours. Il était de dos et pourtant il lui trouvait un air familier.

— Ça va, dit le colosse. Allez voir si ces soldats sont morts ou seulement blessés. Voyez ce que vous pouvez faire pour les soigner. Nous n'allons pas nous attarder ici.

Il se retourna et Sénid vit enfin de face celui dont il avait reconnu la voix.

— Eh bien, fit le Viking blond, de tous les événements de ce jour, te revoir ici me paraît le plus étonnant. Comment vas-tu, Sénid ?

— Waram ! Pour une surprise, c'en est une belle. Tu arrives à temps, comme toujours.

Les deux hommes marchèrent l'un vers l'autre et Sénid dut se retenir pour ne pas enlacer son ami d'enfance. Ils se serrèrent la main à la manière des frères d'armes du Nord, chacun enserrant l'avant-bras de l'autre. Une foule de souvenirs revenait à l'esprit du Viking, en revoyant son camarade de toujours. Même si Waram était un peu plus âgé que lui, Sénid n'oubliait pas comment son ami l'avait aidé dans les moments difficiles. Lui seul l'avait appuyé dans sa décision de tenter sa chance à l'Académie militaire de Capitalia.

Aleel, Elbare et Twilop rejoignirent l'attroupement. Sénid fit rapidement les présentations. Waram ne parut pas surpris en saluant Aleel et Twilop, ce qui n'étonna Sénid qu'à moitié. Puisque la patrouille arrivait de Dragonberg, Waram devait connaître la composition du groupe et croyait saluer une humaine albinos. Elbare, toutefois, l'intriguait sûrement. Le Viking blond n'avait certainement jamais rencontré de versev de sa vie.

— Donc, fit-il, le récit des soldats recelait une part de vérité. Je refusais d'y croire quand ils ont mentionné ton nom parmi ceux des ravisseurs. J'ignore comment il se fait que tu sois mêlé à une affaire d'enlèvement, Sénid, mais tu devines dans quel pétrin tu te retrouves. À moins qu'il n'y ait une autre version que celle de la patrouille.

— C'est le cas, intervint Nolate.

— J'ai accompagné ces braves gens de mon plein gré, ajouta Twilop. Nous sommes à l'aube d'une crise comme le Monde connu n'en a pas vécu depuis plusieurs siècles.

— Il n'y a pas eu de guerre depuis huit cents ans ! soupira Waram. Lama-Thiva a réprimé chaque soulèvement et, tant qu'elle régnera, il en sera toujours ainsi...

— Nous sommes ici pour tout dévoiler de la crise imminente, renchérit Sénid. Il faudra parler au conseil de Dragonberg et, éventuellement, réunir l'althing en séance spéciale. Le Nord aura une décision historique à prendre une fois que nous aurons tout expliqué.

Waram écarquilla les yeux, ahuri. Que Sénid évoque une réunion du parlement de l'ensemble du monde viking ne pouvait que convaincre son vieil ami du sérieux de leurs intentions. Sénid, quant à lui, se doutait qu'il n'en irait pas de même pour tous. Nolate aurait besoin de tous ses talents d'orateur pour persuader le peuple du Nord de la véracité de leurs dires. Twilop serait l'élément clé de la persuasion.

Un des Vikings qui s'était occupé des blessés vint faire son rapport.

— Un des soldats a une jambe fracturée, résuma-t-il. Un deuxième s'est cassé le bras. Celui qui n'a que des ecchymoses m'a confirmé la mort des autres, y compris de leur commandant. Nous avons réduit les fractures des blessés et préparé un brancard.

— Fort bien. Mettons-nous en route.

Les Vikings contournèrent les carcasses de dragons et s'engagèrent sur la corniche. Les brancardiers ouvraient la marche, suivis des autres humains, puis des compagnons de Sénid. Ce dernier fermait la marche en compagnie de Waram. Il comptait bien que son vieil ami lui apprenne les plus récentes nouvelles du pays. Mais, d'abord, il y avait une question qui l'intriguait.

— Comment avez-vous su que nous étions en danger ?

Tout en répondant à Sénid, le colosse blond se tourna vers Aleel.

— Ma femme est une cyclope, expliqua-t-il. Elle a vu les dragons de son regard qui agrandit tout. Je vous la présenterai ; vous pourrez parler de votre pays.

— Bien sûr.

Sénid fut surpris par le manque d'enthousiasme de la cyclope. Était-ce son imagination ou l'attitude d'Aleel avait brusquement changé à l'évocation de la présence d'une compatriote à Dragonberg ? Le Viking se demanda un moment si leur compagne de mission avait des raisons de craindre la rencontre avec une autre cyclope. Après tout, elle ne parlait jamais d'elle ni de son passé. Le Viking supposa qu'elle redoutait simplement que cette rencontre n'avive un peu trop la nostalgie de son pays.

Waram lui conta les dernières nouvelles de Dragonberg et du Nord. Sénid écouta avec attention le récit des négociations sur le partage des récoltes entre les deux centres de production du Nord ; il se passionna aussi bien pour le passage d'une troupe de théâtre qui avait amusé la population avec une comédie fort réussie. Avec ce que ses compagnons et lui venaient de vivre, il faisait bon apprendre que des gens s'intéressaient à l'art et que les tractations entre Thorhammer et Dragonberg se poursuivaient.

Ils arrivèrent enfin dans la vallée, face à un paysage fort différent. Sénid n'aurait jamais cru que de revoir le pays de son enfance réveillerait à ce point ses émotions. C'était une plaine enchâssée entre deux falaises qui faisaient plusieurs centaines de mètres de hauteur. Un glacier fermait son extrémité nord, alors que le sud donnait sur la mer. Des fermiers travaillaient à leurs champs, préparant les récoltes à venir. Tous menaient ici une petite vie paisible, loin de l'attention de Capitalia et du Centre. De toutes les régions du Monde connu, Dragonberg était sûrement l'endroit le moins influencé par les politiques de la déesse. Sénid l'appréciait plus que jamais.

Les résidants de l'endroit ne bénéficiaient de cette indépendance relative qu'en raison de leur éloignement des grands centres. Pourtant, elle permettait à tout un peuple de s'épanouir loin du carcan de l'uniformité. Si Lama devait mettre son plan à exécution, la diversité des modes de vie prendrait fin. Cette vallée, comme tout le reste, serait changée à tout jamais. Leur mission n'en devenait que plus importante.

Il avait fallu trois heures à Nolate pour révéler au conseil les plans de Lama-Thiva. Le centaure avait trouvé la réunion pénible, en raison des nombreuses questions et du scepticisme évident de ses auditeurs. À Capitalia, quand il avait tout expliqué à Aleel et à Sénid, il avait pu bénéficier de l'appui de maître Pakir. Ce n'était pas le cas ici. De plus, les Vikings du conseil régional de Dragonberg chargé des décisions concernant cette partie du Nord ne le connaissaient ni de nom ni de réputation. Les confirmations de Twilop suffiraient-elles pour rallier le pays viking à leur cause ?

Lorsque le Conseil s'était retiré derrière les portes de la salle de délibérations, chacun s'était installé dans un coin pour attendre la fin des discussions. Nolate s'était intéressé un moment à l'architecture de la salle. Le vaste édifice en bois était composé d'une estrade qui faisait face à des gradins capables d'accueillir une foule nombreuse.

Pour tromper l'attente, Aleel et Twilop avaient entamé une conversation qui avait vite pris fin. Elles regardaient maintenant autour d'elles, l'air maussade. Sénid marchait de long en large, s'arrêtant parfois pour jeter un coup d'œil vers les portes de la salle privée du conseil. Elbare tapait machinalement le bras de son siège du bout de ses doigts.

— Cesse donc ce bruit ! s'écria soudain la cyclope. C'est agaçant.

Elbare fixa ses doigts, ayant soudain réalisé ce qu'il faisait.

— Désolé.

L'attente pesait sur les nerfs de chacun. Nolate avait fait de son mieux et il croyait bien avoir convaincu certains membres du conseil, même la majorité, de la réalité des intentions de Lama. Ils ne se rallieraient peut-être pas à leur cause pour autant. Plusieurs avaient affiché leur incrédulité quant à la possibilité pour la déesse de transformer les millions d'êtres qui peuplaient les cinq régions. Le Monde connu leur semblait trop vaste pour rendre possible une pareille entreprise. Nolate, lui, savait la déesse capable de tout. Seule une opposition généralisée pourrait empêcher cette folie.

Sénid vint s'asseoir près de lui.

— Ne vous en faites pas, lança-t-il. Je suis sûr que le conseil nous appuiera. Vous verrez, mes compatriotes ne sont pas des lâches.

— Je ne doute pas du courage viking, rétorqua Nolate. Je l'ai vu en maintes occasions et une fois de plus il y a deux jours, contre les dragons. Je crains surtout leur scepticisme.

— Ce sont des gens intelligents, commenta le Viking. Je connais de nom la plupart d'entre eux et ils ont toujours gouverné de façon responsable. En fait, je pense à présent que nous avons eu de la chance dans notre voyage.

Nolate jeta un regard étonné à son élève.

— Absolument ! renchérit Sénid, répondant à la question non formulée du centaure. Si nous avions gardé Thorhammer comme destination, nous aurions eu à convaincre des gens plus réceptifs envers la déesse.

L'analyse du Viking se tenait, sans toutefois calmer les appréhensions de Nolate.

— N'oublie pas que les troupes de Lama nous ont précédés et nous ont présentés comme des ravisseurs et des traîtres. Twilop les a sans doute convaincus qu'elle n'avait pas été enlevée et que les hermaphroïdes sont une réalité, mais ils peuvent aussi décider de nous livrer aux autorités.

— Ils ne feront jamais ça ! Je vous assure, maître, que les Vikings ont un jugement sûr. Jamais ils ne nous livreront.

Ce n'était pas, de fait, ce que Nolate redoutait le plus. Seulement, s'il n'avait pu les convaincre des capacités de Lama-Thiva à mener à terme son projet insensé, les hommes du Nord pourraient décider de ne pas se soulever contre leur souveraine. Ils préféreraient peut-être conserver leur neutralité et se contenteraient de demander au groupe de quitter Dragonberg.

L'ouverture des portes de la salle de délibérations mit fin aux sombres pensées du centaure. Quelle que soit la décision du conseil, il saurait à quoi s'en tenir dans les instants à venir. Les cinq membres de l'assemblée s'attablèrent sur l'estrade. Les membres de l'expédition se levèrent et rejoignirent Nolate au centre de la pièce. Debout devant les premiers sièges, ils attendirent que le porte-parole du conseil prenne la parole.

L'homme aux tempes grises assis au centre se leva.

— Le conseil de Dragonberg a étudié avec soin les éléments soumis à son attention par le sire Nolate, du peuple des centaures. La gravité des enjeux en cause n'a pas échappé à ses membres, ni les conséquences des deux décisions possibles qui en découlent. L'inaction des hommes du Nord entraînerait la transformation de chaque être du Monde connu en créatures semblables à votre amie Twilop. Une guerre contre le Centre causera de nombreuses morts, non seulement chez les Vikings, mais chez tous les belligérants concernés.

Le Viking eut une brève hésitation, puis sourit.

— Les Vikings sont connus comme étant un peuple fier et soucieux du bien-être des siens et de toutes les créatures pensantes. Ce conseil ne peut tolérer l'idée que des êtres pensants soient remodelés pour satisfaire les caprices d'une seule personne, aussi puissante soit-elle. En conséquence, Dragonberg sera du combat contre Lama-Thiva et les troupes qu'elle ne manquera pas de soulever contre ses opposants.

Nolate crut que ses pattes allaient flancher sous lui. Il écouta dans une semi-conscience de la réalité le porte-parole expliquer les intentions du conseil. Dans les semaines à venir, les Vikings de Dragonberg informeraient leurs concitoyens des projets de la déesse et rallieraient le plus de gens possible à leur cause pour lever une armée.

C'était une victoire, mais il restait tant à faire. Dans très peu de temps, le centaure mènerait le groupe dans l'Ouest, le pays des cyclopes, pour rallier les compatriotes d'Aleel. Seraient-ils plus faciles à convaincre ou, au contraire, resteraient-ils fidèles à la déesse ? Nolate ne se berçait pas d'illusions, bien des dangers les attendaient dans la recherche des autres morceaux du Pentacle. Pour l'instant, cependant, il se contentait d'accepter les congratulations de ses amis. Il y aurait bien d'autres moments pour l'inquiétude, la peur et le froid de la nuit.

Le repos présent était plus que mérité.

TABLE DES MATIÈRES